◆蓮生活佛盧勝彥授在家皈依弟子菩薩戒，從此深入人群，做一位真正的菩薩。

◆蓮生活佛每日寫書不斷，說法不斷，此為新書上市，作者正在為讀者簽名。

盧勝彥文集

揭開大輪迴系列

當下的清涼心

大樂光明的心靈境界——

盧勝彥文集 第百四五冊

The Truth of Transmigration

大樂光明的心靈境界（自序）

近日，佛在心中，時時向我提示三句，又平凡又有智慧的話，這三句話正是：

「一切都會過去的。」

「每一個生命都會寂滅。」

「諸有轉頭空。」

我因此常常想這三句話，我知道，娑婆世間的種種煩惱，都會過去的。

每一個人，有生必有死，浪淘盡多少英雄人物，千古寂寂，生命確實歸於寂滅。

一切物質的東西，輾轉他人之手，有的消失，有的讓人，勿使徒費心思在錢財物質，因為諸有轉頭也是空。

想一想這三句話，心中亦頗震撼！

然而，也當下心中清涼無比！

過去我常常提及中國的歷史，從唐虞夏商周到秦漢三國魏晉南北朝，最後到唐宋元明清等等……。

一個朝代接一個朝代。

一個皇帝接一個皇帝。

一座宮殿接一座宮殿。

一個天子接一朝臣民。

不管是什麼，一切都會過去的，一切都雲消霧散，一切均空空無有。世人悲傷也好，哀弔也好，在時光的洪流之中，畢竟是毫無實益的！

我記得有一則故事如此說：

一個旅人，遇到一頭熊追他。

他驚慌逃命，結果掉到山谷懸崖。

剛好他攀到了大樹枝，沒有死，然而樹底下又有一隻飢餓的大老虎等著他，在樹下團團繞。

在大樹枝旁，卻長了很多草莓。

上頭有熊，下頭有虎。

而禪宗祖師教導我們，這位旅人要摘取草莓來吃，享受草莓的甜蜜，不要去理會，上頭的熊，下頭的虎。

祖師說：

上頭的熊已是過去。

下頭的虎是未來。未來也有轉機。

何不記取「當下」，享受當下的清涼。

我個人覺得，這一則故事很有哲理，做為一個人，過去的不用再懷想了。

未來的，還不一定呢！不用憂愁得太早，吉凶不定，禍福相依，吉人自有天相。

還是吃草莓吧！

目前的我，深深領悟「如來的般若智慧」，我活在「當下」，活在「清涼」中。

我知道，在我們的生命中，最有價值的就是「般若」。我們在當下中，只要謹記：

「當下勿造惡業。」
「當下注意因果。」
「當下不受輪迴。」
如此一來，必然獲得：「當下的清涼心。」

真佛密苑聯絡處：Sheng-yen Lu
17102 NE 40th CT.
REDMOND, WA. 98052
U.S.A.

【目錄】

【寫此書的因緣】

今之世人，
貪欲愈來愈重，
清心寡欲者少，
文明雖然進步，
善光幾乎烏有……

寫此書的因緣

一夜，睡夢之間。

看見雲彩飛舞，有二位童子，持著佛幡，在虛空中現身，二位童子向我躬身為禮：

「蓮生活佛，我家主人有請！」

「你家主人是誰？」

「我家主人是善光佛。」

我一時想不起來善光佛是誰，又三千佛名之中，又有很多近似的佛名，甚至同名同號的佛名甚多，也就不再追問下去，於是隨同二位童子，駕起祥雲，如飛而去。

不久，到了一地，其地名是「翠華洞天」，入一座琉璃大殿，善光佛下座來迎。

「蓮生，別來無恙！」

我愣住了，因為我確實不認得這位「善光佛」是誰？佛的本身有法身、報身、應身。

法身——光明無盡。

報身——三十二相莊嚴如來。

應身——應身變化。

例如我就是這樣，**法身光明無盡大日一般，報身阿彌陀佛蓮花童子，應身蓮生活佛盧勝彥。**

我愣了一愣，善光佛馬上就知道了，他微微一笑，他說：

「蓮生，我現報身相，你當然不識，你看看我是誰？」

善光佛的臉轉了幾轉。

我終於看出來了：

「是慈濟宮的文昌帝君。」

慈濟宮的文昌帝君和我蓮生活佛盧勝彥，有多次的會面，我記得他，他記得我，彼此相熟，我沒有想到他成佛後，佛名竟是善光佛。

善光佛對我說：

「今之世人，貪欲愈來愈重，清心寡欲者少，文明雖然進步，善光幾乎烏有，我見聞如此，不想世人多入三途，不禁悲傷。今天冒昧請你來，是借用你的長才，撰寫一書，以救世人，令世人快快醒悟，慎戒貪欲，才有實益。」

我問：

「寫作材料呢？」

善光佛答：

「材料是有，但，用你的方式去寫，我會派人送給你，你寫就是了。」

「那人是誰？」

「呂。」

我在善光佛的「翠華洞天」觀賞美麗仙景，與善光佛聊天，品嘗仙漿玉液，最後，告別離去。

隔了不久。

我到一座「佛虔院」焚香。

佛虔院的住持便問我：

「先生是否姓盧？」

「如何知道？」

寫此書的因緣

「昨夜夢善光佛來告，今有一盧姓者來參香，速將文稿殘帙交付。」

「文稿呢？」

住持交給我一個大信封，我略看了看，裏面是手寫剝蝕字紙，全是勸善文字。

我問：「是誰寫的。」

「不知！」住持答：「我接任住持時，文稿已在，我略翻了翻，覺得丟之可惜，就保存下來，想不到善光佛叫我送交你的手上。」

我知道問不出什麼了。

臨走前，我問住持：

「住持貴姓？」

「呂。」

這就是寫這本書的因緣了。

【至大至深之禍】

據我所知，撰寫淫書，
或畫淫畫，或雕刻淫像，
要等到淫書、淫畫、
淫像消失掉，才算業障會消失，
否則永遠是業障隨身！

至大至深之禍

一日，有一位名作家謝潤找我。

謝潤知道我寫了百多本書，每日從不間斷，非常的欽佩。而我也知道，謝潤是一位才氣過人的作家，下筆千言，立論精闢獨特，非常人所能及，我亦然很敬仰他的。這樣的一位作家來找我，我當然很高興。

謝潤問我：

「蓮生活佛，我聽人言，你知陰陽通靈？」

「略知。」

「能不能幫我問問？」

我笑了：

「先生丰采秀異，名聞中外，哲理通透，還會有疑難不決之事嗎？」

謝潤很正色的說：

「你說的也是，我這一生從不迷信鬼神陰陽之說，也不相信通靈，對於你寫的東西，我曾嗤之以鼻，但，這是過去的事了，請你不用見怪。現年我六十四歲，我這一生，論才華絕對不輸人，論能力也不落人後，然而，我在學術界始終不受重用，在仕途，有幾次機會，也都落空。你看我是名作家，其實我始終鬱鬱不得志，老是受人排擠。」

「有這等事！」我很驚訝。

謝潤說：

「你看我是名家，其實財也沒有，官也沒有，家庭也破碎了，家也沒有，我的身體也大不如前，這一生，只擁抱幾本破書而已，真是屢屢受困，好像無形之中，有一隻手，把一切功名利祿全給推開了，冥冥之中似有命運之神，我不知為何會如此，請你幫我問問。」

「好吧！」我說。

我在謝潤之前，閉上了雙眼，心中向我的三本尊祈禱：

瑤池金母。

阿彌陀佛。

地藏菩薩。

茲有謝潤一名，欲明功過因果，靈機神算，真傳道妙，速賜答案，撥開迷網，圓滿預知。急急如律令。

這個時候，驀然眼前看見白光閃耀，白光中有一大洞，從洞中走出一位青衣童子，青衣童子手捧一本名冊。

那名冊赫然寫著謝潤之名。

青衣童子翻開名冊給我看，我看了大駭——

原來謝潤是有官位的，在學校不只是教授，可以當到校長，甚至被聘入行政機構，有財有官，家庭圓滿，身體康泰，壽至八十九。

謝潤之人：

存心忠厚。

孝友無虧。

怎會如此？

看到最後，只見後面寫了幾行小字，謝潤曾於年輕時，為了書商的一點稿費，好玩式的，很草率的寫了六本黃色小說，很薄很薄的，印刷粗糙的那一種，寫法很直接，嗯嗯啊啊，亂寫一通。

謝潤只因這六本黃色小說，所有妻財子祿壽康，全部削去了！

看至此，我才全盤明白。

我睜開眼。問：

「你年輕時，行何事？」

「讀書，均是第一名。」

「有寫作嗎？」

「有，投稿報刊。」

「有出書？」

「那時還沒有。」

「我說有。」我堅決。

「真的沒有。」

「薄薄的，黃色小說。」我直接說了。

這時的謝潤，口張得大大的，面孔漲得通紅，一臉不敢相信的模樣。

「啊！你竟然知道，果然有，果然有。」

「六本？」

「是的，六本。」謝潤點點頭。

「是這六本黃色小說，削去所有吉慶，使你變得禍害連連，今天若不是你前生道德深厚，連壽命也不保。」

謝潤大驚：

「有這麼厲害！」

我答：「黃色小說，令人動搖心志，引人走向邪淫，男男女女閱讀，流風所及，喪名敗節矣！」

我說：

天地間，惟禽獸，雌雄亂混。

不顧羞，不顧恥，醜不堪聞。

人為那，萬物首，廉節要緊。

若亂倫，雖是人，不如獸禽。

這淫戒，是首魔，敗道總病。

既修行，把淫慾，一刀割盡。

我又說：

「我們人類原來從色慾而出生的，每一個人均帶著色慾的種子，所以習氣特別的重，其實依因果來說，人由色慾而生，也必由色慾而死。明白這番道理，就要節慾而不可縱慾，節慾的好處可使長壽康寧，功業卓著，吉星照臨。如果引人好色貪淫，當然身虧氣喪，家道傾頹，凶神蒞至，全部適得其反了。」

謝潤聽了唯唯稱是：

「那夫婦呢？」

「夫婦之倫，也不能一味貪湎，總之，也要節制些，不知忌諱，也是喪身殞命的。」

謝潤說：

「我錯已鑄成，如何懺悔？」

我答：

「據我所知，撰寫淫書，或畫淫畫，或雕刻淫像，要等到淫書、淫畫、淫像消失掉，才算業障會消失，否則永遠是業障隨身！」

謝潤大駭：

「有這麼嚴重？」

「正是。」我說：「這六本黃色小說，如果永遠流通，總是一直影響下去，試想想，業障如何消？」

「那只是我一時興起，為了稿費，才寫的，想不到竟然是至大至深的禍害，那怎麼辦？」

我告訴謝潤：

「看來只有二個方法，第一，你可以寫書勸戒世人，且莫邪淫，遇淫書，則焚燬。」

謝潤答：

「如此甚善！」

謝潤歡喜而去，後來，謝潤寫了一封感謝信函給我，信函內說我神算果然靈驗，同時他也開始信神拜佛，不敢再說因緣果報是迷信。

謝潤為了證明我說的真準，竟然寄來了他寫的黃色小說，六本一套，原來他還保存著，筆名用的是：

「淫根」。

書名：

「樂中樂」。

「交尾的快樂」。

「董事長夫人」。

等等。

我回憶起自己年輕時，走在高雄六合二路的夜市場書攤，彷佛見過這些書，這些書害得一些年輕學子實在不淺。

謝潤囑我，代他焚化六本淫書，以示懺悔。

我代焚化之。

寫一偈，記之：

好色之人夢不醒，
昏昏沉沉是邪淫；
災禍遲早會降臨，
當記色空性圓明。

【天知道】

人所以和一般禽獸不同的地方，
就是人有倫理，
如果人沒有倫理，
和禽獸又有何不同，
有些人不顧倫理，
比禽獸還不如。

天知道

有一名男子，姓崔名嘉，長得身材高大俊挺，是一位標準的美男子。

崔嘉來問前程。

我請示虛空中的神明，神明回答：

「天知道。」

我聽了，覺得好笑，當然「天知道」啦！但，崔嘉的前程如何，並無答案也。

我再問。

神明仍然回曰：「天知道。」

我三問。

神明又答：「天知道。」只是補了一句：「此人因為天知道，所以加添了他的功名利祿，前程光明無盡。」

於是，我反問崔嘉：

「為什麼神明只說『天知道』？」

崔嘉愣了一下，隨即漲紅了臉，他自覺很不好意思，告訴我以下的故事。

✿

崔嘉讀大學時。

寄宿在學校附近的民宅。

民宅的女主人是一位長得非常艷麗動人的少婦，女主人婀娜多姿，時常打扮的非常時髦，流盼之中，迷人的眸子，亦時時流露甚多情意。

崔嘉亦心神搖晃。

一日，主人出差。

崔嘉經過主人的臥室，門沒有關。

少婦在，眉目春意極濃，站立不動，凝視崔嘉，身子屢屢婉挑崔嘉。

崔嘉一樣站立不動，四目相接，崔嘉情動，實在按捺不住了。

少婦開口：「人不知。」

天知道

崔嘉非常衝動。

走進一步，又止。

少婦說：

「偶而樂樂，人不知。」

崔嘉血氣方剛，慾念高漲。

崔嘉忽然轉念：

「讀書時，曾有一句『四知』，天知、地知、你知、我知。人雖不知，天知道啊！」

崔嘉對少婦說：

「人不知，天知道。」

少婦問：

「天如何知？」

崔嘉答：

「天知道，天知道，天知道！」

崔嘉大踏步，轉身而去。

天知道

當天晚上，少婦又來敲崔嘉的房門，房門外少婦的體香，從門縫中，直入崔嘉的鼻中，令崔嘉幾次都想打開房間的門。

只要一打開，就是暖玉溫香抱滿懷，為什麼不？

但，崔嘉仍舊喃喃唸著：

「天知道，天知道，天知道。」

人不知，天知道。人可瞞，天終不可瞞。

最後，始終未打開門。

第二天清晨，崔嘉匆匆忙忙的搬去另一個同學的地方住，這件事，他不敢告訴任何一個人，連知己的同學也未說，只說不適合，搬遷而已。

現在果然：

人不知。

天知道。

崔嘉又告訴我，另一件奇事：

也是在讀大學的時候，崔嘉住宿的地方換了約有五次之多。

在「少婦事件」之後的另一處住宿地。

有一晚，睡得正熟。

夢中聞聲：

「天知道，速速起床。天知道，速速起床。天知道，速速起床。」

崔嘉聽得清楚，跳了起來。

崔嘉趕到窗邊一看，原來是隔壁鄰居起火，已有濃煙透出，他趕緊叫醒其他一起住宿的學生，又趕緊打火警電話，緊急的逃了出來。

當崔嘉逃出時，火勢已燒到他住宿的地方，他住宿之地，陷入一片大火之中。

該次大火，共燒死傷多人。

火勢燒毀六户二樓洋房。

財物損失不少。

崔嘉回想當時的情況，如果沒有「天知道，速速起床」的聲音來警醒他，他仍然深睡之中，他和他的同學，很可能就身陷火海之中，成了焦焦的屍體了，想來實在心驚。

後來，崔嘉原本是不信鬼神的，也沒有宗教信仰，經過此事，他認為冥冥之中確有神明存在，這「天知道，速速起床」的通報，不是神明通報，是什麼？

我對崔嘉說：

「冥冥之中，是有鬼神，所謂暗室欺心，神目如電。」

崔嘉答：

「真是天知道。」

我說：「你是當代柳下惠，坐懷不亂。」

崔嘉紅臉：

「僥倖！」

「善惡。」

「一念之間。」

「一失足成千古恨。」

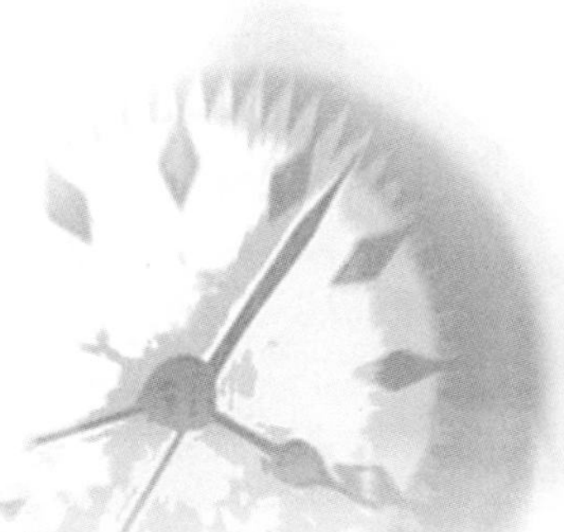

「再回頭已是百年身。」

我告訴崔嘉：

「現代人，男女之間的交往頻繁，關係是愈來愈複雜了，三綱五常，人之大倫，早已無人談及，但，人所以和一般禽獸不同的地方，就是人有倫理，如果人沒有倫理，和禽獸又有何不同，有些人不顧倫理，比禽獸還不如。」

「然而，人也是因為淫慾才出生，所以淫慾是人的本性之一，習性使然，要能不淫慾，也是困難重重矣！」

「如何警醒自己？」崔嘉問。

我答：

「四十二章經中說：老者如母，長者如姐，少者如妹，幼者如女。生如此心，可以息滅淫念。」

「如果不能如此想，又如何？」

「學不淨觀，美女之外，只是一張薄皮，如果揭去此薄皮，只是一具骷髏，進而解剖其身軀，只見五臟六腑，膿血淋漓，屎尿充滿，臭穢腥臊，甚可畏懼厭惡。」

「如果觀不出，又如何？」

「當淫慾熾盛，不能自制之時，想一想後果，進前一步，很有可能耗盡錢財，也有可能名譽喪盡，不但敗家辱祖，惡名流布於鄉里，甚至影響到子子孫孫，一生事業前途全部毀掉，想想後果，則心神驚悸，毛骨悚然，無邊的熱惱，當下清涼！」

「如果又不能自制，又如何？」

我答：

「快樂一時，禍患無窮矣！」

崔嘉說：

「人多樂從此事，一時之快樂，有人雖死不悔！」

「佛言，樂即是空，色即是空。」

「一般人看不破！」

我答：「禍福無門，唯人自召。」

事實上，崔嘉與我之間的問答，確實是當代社會的大問題，這種事，只能各憑修養及良知良能，還有修行的定力。我說，冥冥之中自有鬼神，你以

天知道

為人不知，事實上天不可瞞，天是知道的。我在此祈願：人人潔身自愛，個個知道修行，永超輪迴之苦。

【天上聚會】

當我被全世界上的人誤解或呵罵的時候，
我要明白這是替我「消業障」，
也是幫我達到「無生法忍」果位的時候，
我不用駁斥，只有默然承受，
一點點瞋恨也不生起，
轉身粉碎大虛空。

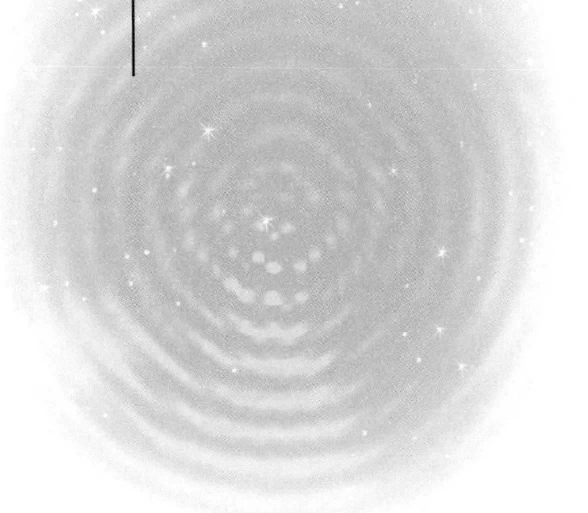

天上聚會

在農曆五月初五日，是地臘日，也是五帝校定人官爵日，天上有眾神聚會。

那天，我也赴會。

也許有人會問，蓮生活佛盧勝彥，如何也赴會？

我回答說：

睡處蓬萊仙島，霎時飛翔虛空。

坐處光明熾盛，行處霹靂光洪。

運行日月甲子，證驗真佛之宗。

朝暮東昇西降，十方法界皆通。

那天聚會的，可說是「萬神都會」，到會的有「玉皇大帝」、「三元三官」、「四大天王」、「五嶽大帝」、「十殿閻君」、「文昌帝君」、「關聖帝君」、「玄天上帝」、「紫微大帝」、「斗母星君」、「月宮五帝」、「四海龍王」等。

另有「釋迦佛」、「普賢菩薩」、「觀音菩薩」、「準提菩薩」、「文殊菩薩」、「金粟佛」、「大勢至菩薩」、「地藏菩薩」、「藥師佛」、「阿彌陀佛」、「華嚴菩薩」等。

聚會議論甚多。……

其中提到一人，令我大吃一驚。

由於不便提其姓名，所以就用假名，暫取姓名叫「蔡望」吧！蔡望論其地位，是一個政黨的首位，論其財力，也是世界上的佼佼者。

五帝提到蔡望。

「蔡望應任首位。」

屬下答：

「中。」

然而東嶽大帝卻立起：

「蔡望實不可中。」

五帝問：

「何因？」

東嶽大帝答：

「蔡望，財位俱足，但近期，施暴一名少女，令少女有孕，少女身心俱喪，已跳樓身亡，如今少女怨怼，正於我處。」

「哇！」我聽了，心中大駭。

「誰當中？」五帝問。

「木旁人補之。」屬下答。

「蔡望當如何？」

十殿閻君答：

「蔡望前世功德深厚，本應首位之位，然而，今世享福過盛，又犯下重罪，不但首位削去，連財富也削去，更令他身纏惡疾，不日，就六道輪迴之位。」

眾神曰：

「善。」

在大選期間。

事實上所有候選人都曾親自拜望我，或親自寫信，或來電話。

我均回答：

「給加持！」

蔡望問我：

「中否？」

我答：

「力行善事可也，不可懈怠，多印善書。」

「期已近，當如何？」

「懺悔己罪，向虛空發願，終身行善。」

蔡望答：

「我無罪，如何懺悔？」

我默默無語，不敢回答。

大選結果發表，果然是木旁人當上了首位，蔡望落選了，原本大家都看好蔡望的，想不到的是，非常的意外，這世界上的事，出乎大家意料的，太多了吧！

首位當不成。

財富也縮了水。

我問蔡望身旁的人：

「蔡望身體如何？」

「不知。」

我再問一位貼身者。

貼身者答：

「不可告訴他人，他已得了不治之症！」

「呵！真的世事無常。」我嘆息。

❀

我為蔡望憂心——

因為我知道，只要犯了邪淫戒的人，當富者玉樓削籍，應貴者金榜除名，犯官非入監牢，生遭凶誅意外等等。

我見東嶽大帝：

「蔡望之業，如何解？」

大帝答：

「難。」

「如何是難？」

「業海茫茫，難斷無如色欲。蔡望與該名少女的孽緣，將六道輪迴擾擾，永無了期。」

「真的冤冤相報？」

大帝答：

「真的。」大帝接著說：「這名少女既然和蔡望結了怨結，轉世必為其妻或女，將來必是夫殺妻或妻殺夫，或殺子女或子女殺父，報應相當慘烈！」

我心悲慟！

大帝說：

「夫妻恩愛，父女孝養，到此皆空。」

我問大帝：

「要解孽緣，要脫六道輪迴，我知甚難，唯當如何？」

大帝答：「只有修行。」

「修行從何開始？」

「懺悔，守戒，行十善。」

我問：

「如何脫輪迴之苦？」

大帝答：「心即佛，佛即心，無人無我無眾生，三心四相掃乾淨，十惡八邪要除清，恩愛情慾毫不染，貪瞋痴愛並不生，子午卯酉勤打坐，二六時中莫放行，要把閻羅來躲過，常伴彌陀及觀音，恍惚之間超三界，霹靂一聲出輪迴。」

「若孽緣來纏？」

「無生法忍。」

「何是無生法忍？」

「修行果位，貪瞋痴不生是也！」

東嶽大帝對我說：

「蔡望的這種因果報應，其實非只蔡望一人而已，芸芸眾生，比比皆是，在神佛看來，眾生皆在紅塵中翻翻滾滾而已。而將來你蓮生活佛盧勝彥也一樣會遭逢，艷女來奔，妖姬獻媚之事，你自己謹慎之。」

我心駭然：

「如何處之？」

「佛曰默擯。」

「近者不遜遠者怨。」

「問心無愧而已！」

「如果被社會誤解？」

「當成消業障。」

「被世人呵罵？」

「不生瞋心！」

「這是什麼？」

「無生法忍！」

我聽了東嶽大帝之言，知道自己的考驗也是不能免除的，將來的我，也會遭遇種種的考驗，這種考驗無休無止也無了期，我必須一一度過。

當我被全世界上的人誤解或呵罵的時候，我要明白這是替我「消業障」，也是幫我達到「無生法忍」果位的時候，我不用駁斥，只有默然承受，一點點瞋恨也不生起，轉身粉碎大虛空。

無人，無我，無眾生。

我是真正的華光自在佛！

【死而復生】

我阻住二位綠衣人：

「此人壽算未至，何以會入陰？」

二位綠衣人，從衣袖中取出大帙文件……

後註云：

「某年某月某日，姦淫一名女子，

應促壽，奪其壽紀，四十九歲終。」

死而復生

有一人來問壽命如何？

我答：

「我從不斷人幾歲死。」這是多年的老規矩，人均知之。

來人說：

「不問幾歲死，但問長壽否？」

我答：「長。」

來人歡喜而去，將長壽的消息告訴家人及鄰居親友，家人及鄰居親友都為他高興。

時間約過了二年。

這位長壽者，四十九歲，在自家門前，突然一陣暈旋，就暈倒在地死了。送醫急救，醫師說，已無生命跡象，於是又轉回家中準備葬禮。

他的兒子蔣與來我處，興師問罪──

「我父長壽，如何四十九歲卻死！」

我答：「不可能。」

「什麼不可能，明明死了，你盧勝彥是騙子，什麼神算第一，簡直是黑白算。」

我口張開，木訥而不能言：「這。……這。……」

「什麼這……這的，賠一條命來！」

「一條命，我賠了，我豈還有命在？」

「不賠命，我什麼都不要。」蔣與氣瘋了，握起拳頭就想打我。

我說：

「我幫你父查一查，何以壽命才如此，再回覆你如何？」

「給我們一個正確理由，否則絕對不會放過你的，我要公開媒體，說你是騙子！」蔣與氣沖沖的。

❀

我定下心神。運起玄元。

學習乾坤天地函。
原是菩薩下九天。
光明透澈忙護佑。
諸多護法排兩邊。
金爐沉檀香煙起。
法身清淨性自然。
一聲霹靂三千界。
直超三界證涅槃。

我追趕蔣與的父親。

在黃泉路上，我看見二位綠衣人，執著蔣與之父而前行，我一到，蔣與之父看見我，拼命喊：

「盧勝彥救命！盧勝彥救命！救救命！」

我阻住二位綠衣人：

「此人壽算未至，何以會入陰？」

二位綠衣人，見我身上放三光，向我稽首。

從衣袖中取出大帙文件出示。

蔣與父親的姓名之下，寫了很多的文字，全是平生食祿的記載，而壽算果然甚長。

但是後註云：

「某年某月某日，姦淫一名女子，應促壽，奪其壽紀，四十九歲終。」

我一看，大駭。

我問蔣與父親：

「果有此事？」

「只一時興起，如今知錯矣！我一定改過自新，一定力行善事，盧勝彥救我，盧勝彥救我，務必救我一命，我不願入地府。」

我不忍心，問二綠衣人：

「尚可救否？」

「無。」二綠衣人搖頭：「大帙已下，無生還者。除了罪犯立誓，及神明押印之外，無可救者！」

「我可立誓。」蔣與父親大叫。

「誰押印？」

二綠衣人說：

「先生身上有三光，佛光、靈光、金光，自可押印！」

二綠衣人，押住蔣興之父，轉向一片茫茫大海，要蔣興之父立下誓言：

「誓戒邪淫，盡我形壽，永不渝心，若有犯者，即禍其身。從今爾後，力行勸戒。盡我形壽，力行善事，我為佛子，努力修行。」

而我在大帙文件畫了押印。

二綠衣人，將蔣興之父推入海中。……

❀

蔣興之父這邊，原本心臟早已停了，身體的溫度也下降了，眼睛翻了白眼，雙腳也伸直，這叫「伸腿瞪眼」。

死了一整天的人，周圍擠了他的子女親朋，卻突然心臟又開始「突突」的跳了起來，心臟附近又開始有暖意，四肢也漸漸有了意識。

死而復生

眼皮跳了。

手指頭動了。

這蔣興之父，恍然而寤一樣，竟然死而復活，要喝水了。這死而復活驚動新聞界，曾經登上報紙。

蔣興問：

「死後如何？」

答：「如夢幻。」

「夢幻什麼？」

答：「無。」

蔣興之父不說。

雖然蔣興之父不說什麼，但是他一逢人，真的就勸戒人不要邪淫，說明邪淫之禍。

有天，蔣興之父來找我。

「盧勝彥，我找你來了！」

「我知道你會來。」

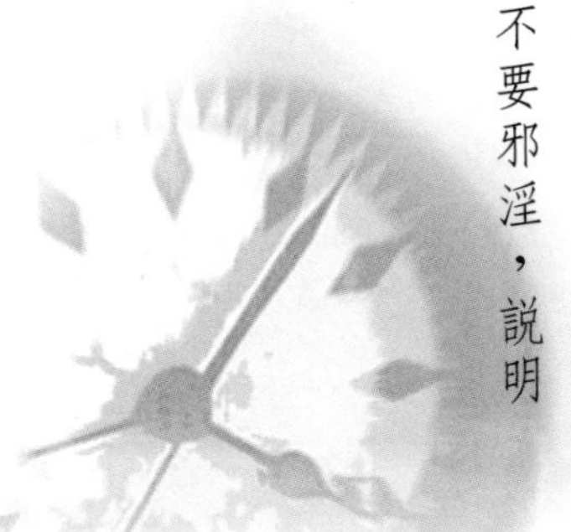

「我來謝謝你救我，也幫我畫了押印。」

「這沒什麼。」我說。

「我來皈依你學佛。拜你為師。」

「甚好。」

「請師尊上坐。」

我坐在蒲團上面，端然不動。

蔣與之父端端正正向我禮拜皈依。

我說：

「我這三皈依與世上法師的三皈依略有不同，世上法師的三皈依，是皈依佛不墮地獄，皈依法不墮餓鬼，皈依僧不墮輪迴。法輪常轉。」

「我這三皈依，皈依佛要定三心，掃開六慾，常清常淨，不亂真性，這才是皈依佛。皈依法是，非禮莫言，非禮莫視，非禮莫行，身無意外之行，口無矯誣之言，意守一心，這才是真正的皈依法。至於皈依僧，是一身清淨，超出三界，知道法身真正安身立命之處，明白生從何來，死從何去，識得生門死户之路，明透清淨法身之處，常住不滅，這才是真正的皈依僧也。」

蔣興之父聽了，便明白真正的三皈依：
「師尊說的是正理。我想報答皈依之恩！」
蔣興之父問我：
「將來師尊，身歸何處，如何侍奉？」
我答：
「南來北去無憂愁，雲遊世界五大洲，要問身歸在何處，常在寂滅天上修。我告訴你，你不一定要侍奉我，報答我，如果你依三皈五戒修行，力行不懈，就是侍奉，也就是報答。」
蔣興之父，頂禮而去。
據我所知：
蔣興之父，印善書甚多，印送「玉歷寶鈔勸世文」及「高王經」送人。印送「真佛經」。
對「不可邪淫」逢人便努力告誡！
蔣興之父，後來出家為僧。
寺中僧人有時提及盧勝彥之名，便辱罵不止，獨獨蔣興之父不言，一聲聲的念佛而已。他寫一偈給我：

他佛自佛，他仙自仙，

滔滔紅塵，清淨自閒。

蔣與之父，悟也。

【污衊與毀謗】

今日的電視、報章雜誌，很難爲善俗宜民之用，
報導的全是姦殺盜淫。
屢屢對八卦新聞趨之若鶩，以珠彈雀，
或如太阿之劍，往往事實未明，媒體已先判決。
今之媒體，往往犯此，
不知其非，侮辱當事人，
毀人名節，這也是犯下了妄説之罪。

污衊與毀謗

我這一生，境遇大奇。

二十六歲因遊歷太虛幻境，上至天庭，下至地府，看見自己的前世來歷。於是寫「靈機神算漫談」，聲名大噪，從此惹來無休無止的攻訐與毀謗。

我曾經如此想，如果不遊歷太虛幻境，不出來弘法度眾生，我只是一名「測量工程師」。

職業測量。

信仰基督。

喜好寫作。

結婚生子。

終老一生。

我的一生，一定平平淡淡，與世上一般人何殊，無大風大浪，庸庸碌碌而了。不知由何生，不知因何死。

但是，開了天眼，見了天堂地府，知了前世因果，獲得靈異，「無形靈師」親授佛道：

我得了無為大道。
成佛金仙天外天。
超生了死非等閒。
得者豈能去輕賤。
付法一定要誠虔。
因此只半明半暗。
就算萬金莫輕傳。
泄與後人仔細參。

由於得了個「真佛」，十方法界皆通，又出來弘揚佛法度眾生，自然紅塵滾滾，必惹來污衊與謗言。

首先由「菩提樹」雜誌的「評盧勝彥」起，又有「野草山人」出版了兩本書漫罵：

一本是「盧勝彥妖言惑眾」。
一本是「盧勝彥妖魔鬼怪」。

報章、雜誌、書籍、出版品，污衊的非常多，舉例也不勝舉例了。

宗教界的大師批判：

「大天魔。」

「大外道。」

「邪　師。」

「大騙子。」

「大活寶。」

「詐財騙色。」

「精神病患。」

「幻覺作夢。」

「神棍。」

「宗教界的魔鬼。」

…………。

這些名詞，全披掛在我的身上。

這幾年又有兩書在市面上流通，一曰：「我怎樣脫離真佛宗」，二曰：

「吾愛吾師」。

還有……。等等。

我自己覺得，我這一世活在世界上，這些堆起來的「污衊與毀謗」如山一般高，如海一般深，真的有夠光榮了。

這些侮辱，以訛傳訛居多。

非真實居多。

當然也有故意設計，再來陷害指控的。也有真佛宗弟子，因得不到利益，米桶之內出老鼠，出來害自己的師父，如同提婆達多害釋迦如來，猶大害耶穌。…………

然而，這些污衊，對我來說，當然不影響：

只是含血不能言，那想世人認不全。
法船已開人難度，看來有緣又無緣。
真佛住世眼不識，難超三界了死生。
我只嘆錯過難遇，何處才逢有緣人。

我當然知道「污衊與毀謗」對我無害，因為我的心中有佛，有如來。

一者，這一切都會過去的。
二者，有生必有死。
三者，一切轉頭空。
我是得道高人，自然悠哉遊哉，一點也不受影響，反而哈哈大笑，真是不識貨，真是不識貨。
我是「摩訶般若波羅蜜」。
我是「華光自在佛」。
我是「如如不動」。
對我來說，「污衊與毀謗」等於是替我「消業障」！

❀

「污衊與毀謗」有因果報應嗎？
有一件事是這樣的：
一名男子，名李進，是上班族，為人素來廉謹，並無大惡及不良嗜好。

忽然得病，是「暈倒症」。也就是說暈倒就暈倒，隨時隨地，然而，暈倒之後，數分鐘後，自然醒來，一切如常，可以說是「剎那暈倒症」。

李進去求醫，醫師檢查是正常。

有人說，類似「癲癇」，給了藥，卻不能痊癒。土方是，「羊癲癇」發作時，只要取幾根草，在病患的鼻前讓他嗅嗅，就會自然醒轉。

然而，李進發作時，不給草，也自然醒來。

這種病患，醫師警告，勿到海邊去玩，掉到海中就完了，勿臨懸崖，一掉下就完了。

李進去問神。

神說：「沖犯。」

吃了符水也沒有好。

李進去皈依學佛，但，病同樣沒有好。總之，李進能找的，幾乎全找遍了。

後來，有人告訴他，去找「蓮生活佛盧勝彥」，他認真的尋訪我，我終於見到李進。

我閉目靜坐，開眼後說：

「你有妄言！」

「素來老實，並無妄說。」李進答。

他的家人也證實李進是安份守己的老實人。

我說：

「你記得有一名王姿女子嗎？」

「王姿？」李進想了很久，想不起來。

家人也幫李進想，想了很久，才勉強想起這個人，是有王姿這名女子。

約十年前，李進的鄰居是有這麼一名女子。

「這女子怎麼了？」李進問。

「她找你。」我答。

「為何找我？」李進駭然。

李進的家人很沉默，後來，他們才說，王姿是一名老處女，有一回，鄰居聚集大家談笑，偶然談到王姿，談到她至今還沒有嫁人，仍然是處女。眾人戲謔。

有人說：「王姿不知人事。」

有人說：「王姿太古板。」

有人說：「王姿是替某人守節。誓死不嫁。」

有人說：「王姿從不假人顏色。」

而李進說：「依相書而言，王姿走路的姿態，就不是處女的姿態。」

就這麼一句話，自是喧傳遠近，傳到王姿的耳中，更是難聽了。人們的以訛傳訛，最會畫蛇添足。

王姿想出面說個明白，根本不便出口。

但，想不說，真的憤恚難忍。

王姿最後是鬱悒而死，可以說是憤恨而死了！

王姿的死，並沒有引來太多人的關注，她不過是一名沒沒無聞的小女人。人死已了，一切傳聞自然煙消霧散。在李進自己，他也不認為，就這麼一句話，就殺死了「王姿」。李進的意思是說，這根本是無心之言。

十年後，李進早已搬家多次。

王姿的事，全淡忘了。

然而今天，是我（蓮生活佛盧勝彥）看見李進的背後，站立一名女子，這名女子就是王姿。

「王姿找我做什麼？我又沒有害死她？」李進辯道。

「是沒有，但謔浪之談，是因也。」

「這是相書說的。」

「有關人名節的，自己不知，不可妄說。」我說。

「所有的人，包括電視、報紙，都有妄測、妄語啊！」李進認為言論自由，不應該有錯。

我也感嘆：

「你說的對，今日的電視、報章雜誌，很難為善俗宜民之用，報導的全是姦殺盜淫。屢屢對八卦新聞趨之若鶩，以珠彈雀，或如太阿之劍，往往事實未明，媒體已先判決。今之媒體，往往犯此，不知其非，侮辱當事人，毀人名節，這也是犯下了妄說之罪。」

「媒體如此，我當然也如此。」李進不服。

「你如此說，想想，她豈能為人！」

李進沉默不語。

李進的親朋則問我：

「如今該如何？」

我則轉問無形的王姿：「該如何？」

王姿回答：

「我死後，魂神無依，幸好灶神收留我，我就借住在廚房之火當中。我也不想討命，因為討命之後，冤冤相報無了時，生生死死更多痛苦。灶神告訴我，可令李進每日清晨起床，面對廚房之火，頂禮九拜，口誦『南摩阿彌陀佛』十聲，迴向給王姿，令王姿早日超生。」

「念拜到幾時？」

「十年期滿，王姿超生，李進就無事。」

「要十年才無事？」我大驚駭。

王姿答：

「不，只要李進，每日九拜，口誦阿彌陀佛十聲，暈倒症就不發生，我不會干擾他。」

我將此事轉告李進。

李進的親朋認為這是可行的，很簡單，也輕而易舉，並不須要消災解厄，花費無數金錢，也不要燒多少紙金，不用延僧道念經超度，做多少功德，又不用替王姿塑造金身，建堂蓋廟。

李進則無可不可。

❀

說來也奇。

李進的「剎那暈倒症」，每隔三兩天，必然要發作一次，有的時候，一天也兩三次。

但自從實施每日清晨，向廚房之火，跪倒禮拜九次，口誦「南摩阿彌陀佛」十聲，自那日起，一星期，一點事也沒有發生，也就是「暈倒症」竟消失了。

李進不信邪。

故意有一日不拜不念。

當日又暈倒二回。

李進不得不信，又恢復天天禮拜，天天念佛十聲，果然「頭暈倒地」的毛病從此消查無蹤。

還有一件事，也很奇怪。

李進有一個女兒，才四歲，竟然看見廚房的火之上，端坐一個女人，這女人雙手合掌，也在念佛。

叫李進的女兒，形容那女人。

李進的女兒說，那女人並不兇，常常微笑，向她招手，形容衣著，就是王姿。

李進的家人及親朋，看見如此靈異的事，人人都相信天地之間確實有鬼神的存在，因果報應的事不得不信，冥冥之中真的有定數也。

我在此奉勸世人：

佛教五戒之中，不可妄語，是五戒之一。此戒易犯，因為人對口業，往往輕忽，人云亦云。我們修行人，不知道的事，最好不輕易開口，凡有關人名節的，斷不可輕出於口。

一般人喜歡在背後論人是是非非，這也是不對的，少說一句話，多念一聲佛吧！

媒體，是殺人利器，輿論更易鼓勵人心，眾口悠悠，人言可畏，如果不實報導，便犯下業障了！

【妻妾之間】

我們都知道「女人禍水」
這四個字，但，深思一下，
如果沒有「男人禍先」，
也不會有「女人禍水」了。
這是爲何會如此，
因爲一個字：「慾」。

妻妾之間

有一天。

一名年約五十歲的男子，到我處問事。那天午後，天氣燠熱，那名男子連連喊熱，便討口涼水喝。

我不慌不忙，取了兩大一小的杯子，倒了冷水，一大杯置於該男子之前，另外一大杯一小杯，放於一側。

男子問：

「我只要一杯已足，為何又放一杯大，一杯小。」

我笑了：

「你雖一人來，但，隨行有一大一小，豈能單單請你喝，而不請他們喝！」

那男子怔了一怔，臉色慘綠：

「他們是誰？」

我答：

「一對母女。」

「能不能驅趕他們走？」

「目前不能，但，亦可試試！」

男子說：

「今天來此，就是問此事，希望能解除困惑。」

❀

這名男子姓汪名登，是一位工商界的聞人，商業雜誌常常有他的名字，他經營的企業，在世界上及國內均赫赫有名，這樣的名人，自然有一些女子，會主動的藉故親近及獻身。

汪登家財萬貫。

名成利就。

汪登的紳士風度，令人稱羨。他的周圍經常有女子刻意的去親近他，包括他自己的女祕書。

汪登自己已娶妻生子，家庭相當圓滿，他自己很顧家，對子女的教育很重視，他本人事業為重，可以說一切都非常完美。他自己也知道：

「男女各有配偶，這是天定的倫，如果混亂了，夫妻的情義也就乖離了，這樣子一來，無可適從，便和禽獸、披毛戴角，相去不遠。」

「還有，憑你非常機密，自以為神不知鬼不覺，但，有朝一日，雞蛋再密也有縫，有一天，爆發醜聞，臭名遠播，名譽掃地，顏面無光。」

所以，汪登，很謹慎。

有一回，汪登在遠地參加會議，有一名年輕女子是特別侍奉他的，他一見這名女子，吃了一驚，因為她太像他初戀的情人。

汪登提及舊時情人。

女子回答：

「但願我是真的。」

汪登注意到她的名牌，她叫楊欣。

楊欣服務汪登，很細心，無微不至，短短幾天之中，汪登對楊欣有了特別的好感。

妻妾之間

汪登讚美楊欣。

「你的服務真好。」

楊欣回答：

「只要你喜歡，什麼都可以。」

就是這句話，令汪登心搖神晃，楊欣的苗條身材，楊欣的笑靨，楊欣的年輕，楊欣的氣息，楊欣的清純，這都是妻子身上找不到的。

人從色慾而生，故其習偏濃，汪登不是木頭人，他也是有慾望的，只是禮數約束了他而已。

一天夜裏。

楊欣藉著送緊急文件為理由，到了他所住的飯店。

於是，兩人就出軌了。

汪登，一不戒慎，就落入痛苦的深淵。

❀

首先，一時的快樂就是永恆的悲哀。
楊欣有孕。生了一個女兒。
紙包不住火，事情爆發了。
這是：
閨秀豈容玷辱。
一生名節攸關。
六親體面沒遮攔。
結定怨家不散。
在原配妻子這方面：
「人孰不思偕老，可憐獨守空房，芳池拆散兩鴛鴦，此後雙飛絕望，如今希望全破，更有何事增光，智欺勢壓太猖狂，終作怨家孽障。」
我個人有一種想法，這個世界原來是女人與女人的戰爭。例如：婆媳之間的鬥爭、姑嫂之間的鬥爭、妻妾之間的鬥爭等等，從古至今，鬥爭之慘烈，大家可以感受。
武則天的宮庭之爭，呂后的宮庭之爭，慈禧的宮庭之爭，都是用盡心機巧計，直至對方倒地而死才止，見此，令人心中怖畏。

當然，這些鬥爭全占了兩個字：

「佔有。」

不可能有的兩個字：

「寬容。」

女人心細，在爭風吃醋方面，略勝一籌。據我所知，出家人也不例外，有一名大師的身旁，有幾名比丘尼的侍者，這幾名比丘尼的侍者，為了爭寵，彼此之間一樣鬥爭，鬥到最後，輸的這方面，竟然要害死自己的師父。

這種心理是「遷怒」。

破斧沉舟，要死大家一起死。

寧為玉碎。

不求瓦全。

我說：女人由愛轉恨的力量，是非常可怕的一件事。

我當然不能只說女人的錯，事實上汪登也錯了，錯錯錯，錯了就很難收拾。

汪登的原配，絕對不能容忍，枕邊另有他人。

楊欣則百般容忍，但，忍耐也是有限度的，她則發洩在汪登的身上。

雙方均是：「有他無我，有我無他。」

汪登的痛苦可知。

我們都知道「女人禍水」這四個字，但，深思一下，如果沒有「男人禍先」，也不會有「女人禍水」了。這是為何會如此，因為一個字：「慾」。男女之慾，往往會引發天下極其慘烈，至大至深之禍殃，甚至傾城傾國，喪身殞命事小，甚而亦有亡國的，但是，很可惜的，人們多樂從此事，就是以身殉之，雖死也不悔者。

這是：

「寧願花下死，作鬼也風流。」

「女色之事」在今日，大部份的人是縱情慾事，人人尋花問柳，個個竊玉偷香，更有甚的，滅理亂倫，也有男色，更兼同性相戀，由茲而生風波的，何可勝數。

大凡由「色慾」之事，致遭死亡者，亦復不少！

大家可以想想：

淫婦殺夫，夫殺淫婦。

夫殺姦夫。姦夫殺夫。

妻殺妾。妾殺妻。等等。

根據統計：

十分之中，由色欲產生為情而殺，直接而死者，十人中佔有四人，間接而死的，亦有四人，情殺所佔的比例甚高。

還有，由男女縱慾虧損的，這一類的死亡是看不見的，人們較少覺察的，因色慾而死的，都是自戕其生，說是自然而死，其實不是，這正是旦旦而伐，自彼貪色而亡身，由此而知，天下多半皆是枉死之人也。

我以前寫有一偈：

美女腰間掛寶劍。

不宰聖賢斬凡夫。

雖然不見頭落地。

暗中催汝骨髓枯。

這種「色慾」之事，一般人看來，是莫大的福份，在修行人看來，是莫大的禍事。

凡夫納之，禍事到了。

聖賢看破，至高德行，至大安樂。

思之，思之。

一、色慾得不到，引發的怨恨。

二、色慾得到，但，由濃轉淡，引發的怨恨。

三、色慾由得，再失去，引發的怨恨。

總之，都是危機重重，禍患連連。

❀

汪登與楊欣的這場婚外情，引爆了妻子與情人之間的鬥爭，汪登對楊欣的照顧由濃轉淡，也覺得倦了、累了，漸漸的失去了耐性，汪登覺得原來平靜的家庭，由於自己的一失足，才演變得痛苦連連。

在楊欣這方面，怨恨增長，她一時想不開，竟然帶著幾歲大的女兒，跳河自盡。

楊欣死了。

女兒也死了。

這是婚外情的慘劇！

這件悲劇過後，汪登常常在睡夢中驚醒，半夜覺得身子冷，失眠及心悸，黑暗中似乎看見楊欣及女兒，手牽著手，注視著他。

接著有怪事出現——

汪登覺得楊欣似乎時時在左右。

夜半地板有走動之聲，椅子會移動，門會自動關，牆壁會有怪聲，常常會有小孩子奔跑的聲音。……

這些不要緊。

瓦斯爐明明關了，卻開了。

更奇的是，汪登睡眠不好，骨節酸痛，醒來時，發覺全身東一塊烏青，西一塊烏青，甚至連臉上脖子也烏青，很難看，彷彿被人打得鼻青臉腫。

汪登去問神。

神回答：「被鬼打的。」

請了五府千歲的符回家貼，門及窗均貼滿了，但，鼻青臉腫一樣。

於是請了五府千歲的神轎及乩童至家中作法，神轎繞屋子一周，乩童持鯊魚劍砍得身子全是血，又畫符又唸咒，使出渾身法術，結果仍然無效。

❀

汪登說完了以上的經過，露出他的胸前及背後，果然青色、紅色一大塊，一大塊的，如同現代流行的「拔火罐」，「拔火罐」剛完，不是青一塊紅一塊嗎。

我看了，覺得駭然。

我問：

「你請醫師看了嗎？」

「當然，醫師不明原因，連神明也看了，神明說給鬼打的，但，作了法，也一樣無效。今天特別來看你，希望能解除困惑。」

我轉頭問無形的楊欣：

「和解如何？」

楊欣答：

「齎恨而死，銜怨鬱鬱，無解。」

我解釋「冤冤相報無了時」的道理給楊欣聽。

楊欣問：

「其妻心狠，詬妒悍猛，何以無報？」

我答不出。

楊欣說：

「我遭此劫，心不平，要見雙雙遭報，才洩我恨。」

我對楊欣說：「如果我施法術請你走呢？」

「無效。」楊欣答：「因為我有律令。」

楊欣竟然取出一面黑色的小旗，這小旗竟然是陰府地獄的律令，怪不得五府千歲也束手無策。

「如果我超度你得往生？」

「我不願去。」楊欣斬釘斷鐵。

「如果我有地藏王菩薩的律令。」

楊欣答：

「你怎可能有？」

「我可以命令轉輪聖王執持你，把你送往六道輪迴處，讓你母女輪迴去了，免得在陽世間，屢屢現形惑眾。此等之事，你亦有罪，這是你不能制欲而然，不能全怪汪登夫婦，揣情酌勢，你自己想想。」

我取出地藏王菩薩的律令。

這律令是：

達天通地一旌旗，摩訶揭諦度衆生。

光彩輝煌五千道，頂禮菩薩護佑恩。

這旗一出，上空佈上寶蓋幢幡，光華萬丈，寶蓋下有地藏菩薩，而再下有七彩蓮花，清靜自然，前有三盞金燈，四周瓔珞，毫毫放光。

地藏菩薩，手托金蓮寶座，說：

金蓮寶座，
悲世憫人，
放光照射，
佛國現前。

我發覺這金蓮的光明，一照上楊欣母女，這冤業就消失了，再晃了一晃，怨氣也沒有了，那強硬的心，報復的心，憤怒的心，全消杳了。

此時的楊欣，看破塵世榮華，不戀娑婆惡世，產生了明超聖境的心。

於是，母女二人，身入蓮台，空中現瑞，剎那之間，便登佛國。

我知道，這「真空妙用」度化眾生之法，正是將來彌勒菩薩下降娑婆，龍華三會廣度群生的佛法。

這佛法就是彌勒菩薩的「唯識神變」。只要彌勒菩薩的心光，照向眾生的心，將眾生的業障一剎那之間全部消除。再將眾生的心，轉化成彌勒菩薩的心，這就是「唯識神變」。如此一照，一變，便全部度往佛國。

據我所知，諸佛菩薩度眾生，法法不同，其果則一：

大日如來——真如。

釋迦如來——般若。
龍樹菩薩——中觀。
蓮華生大士——瑜伽。
彌勒菩薩——唯識。
阿彌陀佛——淨土。

我運用地藏菩薩的律令，類似「唯識神變」，這旋旗原是天外天，原是成佛仙，什麼都不用，超生一毫端而已。

❁

汪登問我：

「如何解脫此事？」

我答：

「已解脫。」我只是晃了晃手中的小旗。

「用何法？」

「心如工畫師，能畫諸世間，五蘊悉從生，無法而不造。」

「這心法是何法？」

「心靈之光。」

我告訴汪登：

「未來的彌勒菩薩下降度眾生，龍華三會，用的就是『唯識神變』，三界唯心，萬法唯識，彌勒菩薩只用心靈之光一照，眾生的心就全部變化成彌勒菩薩的心，所以，龍華三會，眾生就全部被度化了。」

汪登一聽，說：

「我也想學佛！」

我說：

「是的。學佛的人，可以看破物欲的人生，物欲只是暫時獲得了刺激，一時的快樂，其實是一陣陣的昏昧及顛倒，且永遠擾亂了永久精神的安寧，沒有清爽的愉快，如何有真正的幸福可言。」

「學佛要如何？」

「先除貪、瞋、痴。」

「益處？」

「心中一片光明。」

汪登向我下跪拜師。

汪登回去後，果然家中怪異的事，全部沒有了，自己的睡眠也完全正常，全身烏青的現象不見，骨節酸痛全好了。他直叫，蓮生活佛不可思議！盧勝彥不可思議！

汪登全家皈依佛門。

力行佈施善事。

揭開大輪迴系列

【鬼婦】

人若貪湎色慾，冒昧的發誓，
很容易得罪鬼神，由於人不知忌諱，
其實發誓，有「誓神」紀錄，
不可冒昧從事，君子重諾，
一諾千金，小人發誓，轉眼就忘，
無情無義，早已得罪了天地無形。

鬼婦

在一個宴會的場合。

在座多人有認識我者，也有不認識我者，一位認識我的人請我替大家觀一觀氣。

其中一位徐明者，問我：

「只聞盧勝彥之名，未曾見過真人，請看看我如何？」

我仔細看了看徐明，吃了一驚，答：

「徐先生身上沾了鬼氣。」

眾人一聽，均怔住了。

有的說：

「盧勝彥愛說笑！」

「盧勝彥會損人！」

「盧勝彥講話不負責任，這種話，怎麼可以隨便出口。」

大家看看徐明。

只見徐明不慌不忙，他說：

「盧先生說中了，我確實沾了鬼氣。」

此話一出，眾人大驚失色。

徐明問我：

「如何去除鬼氣？」

我答：

「歸去靜誦黃庭，恍惚妙用無窮，須要用心守戒，三月自然去除。」

我要徐明日誦黃庭經，齋戒三個月，不近女色，自然去除了鬼氣。

徐明向我道謝。

徐明問我：

「盧先生知道我身沾鬼氣，但，可知這鬼氣，對我有害或無害呢？」

我答：

「身沾鬼氣，當然不好。但，據我仔細觀察，這鬼氣是婦道人家，對你無冤無仇，似乎只是沾上，並無害你之意，所以這鬼氣實無大礙！」

徐明一聽，大為嘆服：

鬼婦

「盧勝彥，果然名不虛傳！」

徐明在宴席中，對我及大家說了如下的一段奇事：

徐明是貿易商，有一回到日本東京洽談商務，住在大飯店的六樓客房。

夜間，睡夢中，感覺到身傍躺著一個人，這個人竟然是一個婦人，此婦人姿色不惡，曲線凹凸均勻，吐氣如蘭，活生生的一名女子。由於徐明是夢中，認不清是夢是真，就這樣發生了關係，二人顛鸞倒鳳，快樂異常。

然而徐明醒來，春夢了無痕，女子已是不見，門窗一切完好，非常的奇怪。

徐明認為只是一場夢。

第二天晚上，婦女又至，事後，徐明問她，住何處，婦女回答住七樓某號。

徐明第二天醒來，女子又不見了，這回他覺得事非尋常，他坐電梯上七樓去找她，然而電梯在七樓不停，電梯只停八樓、九樓、十樓……。徐明用走樓梯的方式，走到七樓，打開七樓的門，發覺門封住，無法進入。

徐明問櫃台：

「七樓某號住何人？」

櫃台答：

「無人。」

「怎會無人？」

「因為整個七樓全在裝修，沒有住户，怎會有人！」

徐明一聽，目瞪口呆。

第三天晚上，在睡夢中，婦女又至，婦女擁著徐明求歡，徐明這回不肯了。

徐明問：

「你住何處？」

「七樓某號。」

「七樓全在裝修，根本無人，你到底是人是鬼？」

那婦女一聽，淚水盈盈而下。

徐明慌了：

「你好好説，不要哭，我只想明白，這倒底是怎麼回事？」

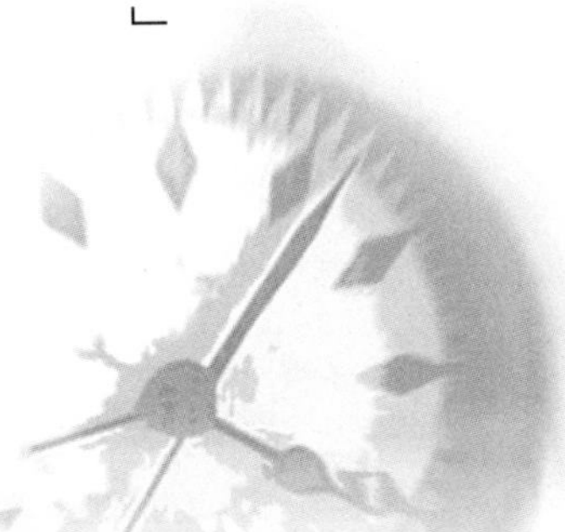

鬼婦

婦女告訴徐明：

「因為有事要拜託，所以委身相就。」

「何事？」

「你的家鄉，是不是有位叫徐淵者。」

「是有。是同村莊，也是同學。」

「徐淵是無情無義的天下負心人。當年，我與他在日本相逢，我支助他一切留學費用，同時委身與他，兩人立下了海誓山盟，非卿莫娶，非君莫嫁，想不到，徐淵學成歸國，一去不返，杳如黃鶴，久無音耗，聽說已經別娶他人了。我悲恨已極，我這一生，全部積蓄全投在他身上，一切情義全在他身上，這一生，既悲且恨，只有一死了之。」婦人呼號。

徐明驚詫：

「你真是鬼矣？」

婦人苦著臉，突然漸漸變臉，是一位七竅流血，舌長尺餘的吊頸鬼。

徐明一嚇，退了數步，想想自己這幾晚所抱的艷婦，自己以為是艷遇，姿色絕倫，卻不料光華艷麗只是表皮，原來卻是厲鬼，絕世佳人，原是臭穢腥臊。

婦人說：

「你幫助我，我不害你。」

徐明心神驚悸之下問：

「如何幫？」

婦人說：

「我身上尚有一支金簪，我可以附身在金簪上，你到飯店七樓某號，呼喚我的姓名，該某號就是我上吊之房間也，你一呼喚，我就附身金簪。你歸去家鄉，只須將金簪拋入徐淵家中，這就是你幫我也，我絕不害你。」

「七樓封住，無法進入。」

鬼婦說：

「裝修房間，豈無出入之口，另有通道。」

徐明拿了金簪，又從另一個通道進入七樓，呼喚了婦人的姓名，回到自己的家鄉。徐明如鬼婦之語，到了徐淵家宅，將金簪拋入徐淵庭院之中。

剛剛好，那一天是徐淵升官的日子，徐淵在自己的家宅，大宴賓客，賀客雲集。

眾人舉酒祝杯。

徐淵高興異常，徐淵夫人亦在一旁，幫忙招待客人。

徐淵但覺一陣冷風。

頭暈旋。

倒地不起。

救護車趕至，醫師說：

「飲酒過量，導致血管破裂，已腦死，不可救矣！」

徐淵死了。

而徐淵夫人也一病非輕。

❀

徐明講完了這一段奇事，眾人才明白，徐明身上如何才沾上鬼氣的。

眾人均搖頭嘆息。

我個人覺得，今之世人，沒有不希望能長壽康寧度過一生的，也人人都希望能升官發財，這都是人之常情。

然而，今之世人，縱情花柳的人，比比皆是，同時亦發誓發願太隨隨便便。

人若貪湎色慾，冒昧的發誓，很容易得罪鬼神，由於人不知忌諱，其實發誓，有「誓神」紀錄，不可冒昧從事，君子重諾，一諾千金，小人發誓，轉眼就忘，無情無義，早已得罪了天地無形。

人若要長壽康寧，一定要戒淫。

人若要升官發財，勿得罪鬼神。

徐淵之死，是無情無義而死，罪有應得！

徐明身沾鬼氣，亦是貪淫所致，所幸尚無大礙，只要齋戒就可去除。

今之世人，發誓發願如同吃白菜一般。

不知守誓守願，翻臉如同翻書。

良可哀哉！

【關聖帝君的金印】

溫平先生獲關聖帝君的金印，
原本是大吉大利的，
如果好好保惜，是一件美事。
可惜，得大福之後，卻犯淫戒，
關聖帝君將金印收回，
原本大吉大利的，轉換成大凶大禍。

關聖帝君的金印

我常常感嘆，這世間，千古以來紅塵滾滾，醒悟的人少，迷惑者多，成就者世上難尋，倒是無緣者比比皆是，真是令人痛心疾首。

想起一首歌詞：

嘆富貴，假名利，迷人太甚。
塵世上，眾佛子，概困紅塵。
只知道，享世福，勢力僥倖。
全不思，有孽債，暗來纏身。

我之證悟，坦白說，是非常自然的，是無形無像，是不可言說的，世人懷疑我，或修行人疑惑，這也沒有錯，因為證悟的東西，看又看不見，聽也聽不到，又無形像，也無法可說，就算用須彌山為筆，四海水磨墨，也難寫下。

只能如此說：

明心見性。

自主生死。
十方法界。
放大光明。

有一回，在遊歷十方法界之中，慧眼遙觀，看見善氣沖空，在空中現瑞。

原來是關聖帝君及周倉將軍、關平前行而來。我又看見塵世中有一人，冉冉昇空，此人身罩紅雲，跪在帝君之前，而關聖帝君賜頒金印給這位善人。

我很驚訝的問：

「此是何人？」

帝君回我：

「溫平先生。」

「莫非行者成就？」

「雖非行者成就，頗有半凡半聖。」

「既然半凡半聖，已甚稀少，我要記住他的姓名。」

帝君笑了：

「有緣無緣，日後自知。」

我答：

「但願溫平先生，知生死根源，佛國有緣。」

關聖帝君、周倉、關平，賜頒金印給溫平先生，因緣巧合給我遇上了。

這位溫平先生，在農曆的五月十三日，正是關聖帝君的下降日，獲得帝君賜頒金印，真是頗不簡單的。原來這位溫平先生，奉祭關聖帝君達二十年。

每日早晚上香，二十年不間斷，早晚上供果。

早晚唸一遍，關聖帝君的覺世真經。

這種虔敬，感動關聖帝君。溫平先生在夢中，看見帝君，也知道帝君賜頒金印給了他。

這金印一賜，不得了。

我以前曾經說過，慈濟的證嚴法師，在台東的王母娘娘廟借宿時。那時證嚴法師投宿無門，艱苦備嚐，向王母娘娘祈禱申訴。

王母娘娘（瑤池金母）看她是一位孝順的比丘尼。

賜給一個如意環扣。

這一賜下環扣。

不得了！從此轉運了。

由於她個人的慈悲，加上努力，再加上王母娘娘的「如意環扣」，便創下了今天的「慈濟功德會」。

世人但知，證嚴法師慈悲濟世，非常成功。

但，獨我知之，王母娘娘的「如意環扣」，放大光芒了。

我們再回頭談一談溫平先生的金印。

這位溫平，未得金印之前，家道小康，略投資餐飲業及房地產而已。

但，一得金印之後——

他的餐飲業竟然生意興隆的不得了，客人盈門，他人生意蕭條，獨獨他的，車水馬龍。

他的餐飲業連開多家，家家爆滿，南北均有分店。

賺了錢，又買房地產，房地產又大漲，溫平先生成了富豪，眾所周知，他成了富貴中人，人人都知道他。
住豪宅。
出門外國進口大轎車。
穿著華貴名牌。
吃山珍海味。

❀

有一天。
溫平先生竟然來造訪我。
他問我：
「富貴幾世？」
我答：
「一世已足。」
他略略不高興：「我會昇天嗎？」

「我是天堂，你是地獄。」我答。

他更火。

「盧勝彥，你知道我身上佩帶什麼嗎？」

「知也不知。」我答。

「你這是含糊其詞，看來你也不知道，人言你神算高明，原來只是江湖術士而已。」

「不知也知。」我說。

「什麼是不知也知？」

「我雖講不知道，其實是知道的，所以說不知也知。」

「不管知也不知，不知也知，你今天給我一個答案，我就服了你，如果講兩可的話，概是胡說，我請人拆了你的招牌，你永遠也混不下去了。」

我一看，這人難纏，寫了兩個字：

「天璽」。

他問：

「這兩字是什麼意思？」

「璽就是印章，天就是上天賜的。」

他靜默不語。

我說：「身佩天璽，固然可喜可賀，但要知道保惜之道，明白修身清淨之理。如果不然，福份享盡之時，便有災禍臨頭，到時反折你福。」

溫平心中惱怒。他回答我：

「我看你，只是懂得一些江湖邪術，看來也不是真有能耐，豈有什麼修身清淨之理，我不聽你的胡言亂語。」

溫平先生走了。

我嘆息一番：

「真是可惜啊！溫平先生雖然唸覺世真經二十年，唸得身佩了關聖帝君的金印，卻只是會唸經而已，對內涵一竅不通。我只是憂慮這個人，福份盡了，便有災禍會降臨。我輕輕給他指點，那知他迷昧了本性，全不尋思一下，這是莫可奈何的事，只有順其自然了。」

後來，我聽人說：

溫平先生對人言：

「盧勝彥神算不準不靈，講的全是模稜兩可的話，指東說西，指西說東。江湖術士，口中言佛，只是外道邪術，千萬別給這個人騙了，看來，詐財騙色才是真的。」

溫平與一些寺廟僧人往來，又批評我：

「神棍、大騙子、大天魔、大外道。」

溫平先生仍然逞能，誇耀財富。

他捨了現有豪宅不住，自己買了一塊大宅院的地，把宅院全部推平，建了一座如同歐洲凡爾賽宮的帝王住宅。

住宅如同堡壘。

四周有巴洛克藝術雕塑人像。

這皇宮式的住宅，任何一塊磚，一片瓦，一面牆，全是雕塑去製造完成。

整座住宅的地上，全是璀璨耀眼、綺麗華彩、閃耀黃金般輝煌，光芒四射的義大利大理石。

其家宅的裝潢，仿造法國凡爾賽宮、楓丹白露宮、英國漢普敦宮。

庭院的瀑布。

園林的設計。

雕門畫窗的玲瓏剔透。

均叫人驚嘆不已！

溫平的奢侈，同樣令人驚嘆！

❀

溫平受了邪友的引誘，去了酒家，從此迷上了酒家的燈紅酒綠，夜夜一定要上酒家作樂。

酒家有「那卡西」，可以唱「卡拉OK」。

酒家有酒女陪坐檯，酒女個個身材高挑，曲線玲瓏，穿著開高叉的旗袍，爭奇鬥艷，令人目眩。

酒家有酒食，有佳餚，有火鍋、有酒，酒女敬酒，方式奇特：

酒女向顧客敬酒。

顧客問：「怎麼喝？」

酒女答：

「餵！」

「怎麼餵？」

酒女先喝了，含在口中，將口中的酒，對著顧客的嘴，口與口成了「呂」字，然後將酒餵入顧客的嘴中，客人喝了酒，也吻了酒女的唇，甚至嚐了酒女的丁香舌，兩人相擁成了一堆，互相嬉戲。

「那卡西」演奏時，又可與酒女翩翩起舞。

在酒家——

可以唱歌。

可以跳舞。

可以嬉戲。

有美女，有酒有肉。

溫平沉醉了，暈船了。

這時的溫平，那裡還想起「覺世真經」裏面的，戒酒肉，原來是清濁莫混亂，不要貪口腹，因為貪口腹就會殺生。尤其是酒，酒是毒水也，三杯下肚，面紅心昏，變得非常衝動，酒只要一過量，就像瘋癲一樣，什麼事都作了出來，在迷中不知迷，在顛倒中永遠不醒。

酒醉時，廉恥早已喪盡，德行早已不顧，又暴氣，又凶横，虐卑慢尊。

再談色字，覺世真經裏面是禮節為本，萬萬不可無禁忌，要清心寡欲，要將心猿意馬栓得穩些，須要知道廉恥，這是聖凡的區分，要想想，人不是禽獸，只有禽獸才雌雄亂混，如果不顧羞，不顧恥，那就同禽獸等同一般。

溫平在酒醉之中迷戀一位「梅妃」的酒女。

邪友鼓勵他：

「帶出場！」

「帶出場作什麼？」

「宰！」邪友説。

「什麼是宰？」

「一個一個的宰，今夜你就是皇帝。」

梅妃被溫平帶出場了，溫平最後幾乎把全酒家的酒女都帶出場過。

酒女都是妃子。

溫平成了皇帝。

撒下了大把大把花花綠綠的鈔票。

溫平警惕似的問邪友：

「這樣有罪嗎？」

邪友答：

「這是用金錢換來的，金錢買賣，何罪之有！你喜歡，她們也愛，兩廂情願。」

這些酒女，當然只是為了賺錢，知道溫平是大富豪，無不曲意奉承。這般酒女，自然是迷昧的，也是業障深重的，她們那裡知道三從四德，早已將自己的身軀聽命於人了。酒女可憐，不明自性可憐，不明人生意義可憐，導人迷昧可憐，墮入輪迴可憐，不曉修行可憐，只為生活賺錢可憐，不務正業可憐，未究死生可憐。……

有些酒女拜神，拜的竟然是豬哥神，西遊記裏好色的豬八戒，豬哥神雕的正是豬八戒，懷中抱一美女，酒女拜豬八戒，正是祈禱天下男人，統統變成豬哥（奇哥）。

為了錢。

拜邪神。

以邪引邪，共入輪迴。

也有很多酒女，色情場所的女子，拜百姓公、有應公，其目的同樣是恩客多一點，或者是邪神野鬼能報一報明牌，獲得橫財，其最終目標，全是一個字——錢。

❀

據我所知，靈界有這樣的一件事：

在農曆的十二月廿四日，正是灶君（司命真君）升天，奏人善惡的日子，這位溫平的司命真君上了天，啓奏了關聖帝君。

司命真君說：

生於色。

死於色。

如夢不醒。

醒未覺。

覺未醒。

昏昏沉沉。

察其實。

敗道的。

都是邪淫。

關聖帝君一聽大怒，佩了帝君金印的人，百位福神幫襯，出入均是吉祥，有種種的妙用機關，不但如此，可得遇佛緣，超生了死不等閒，得佩金印的人豈能如此輕賤。

帝君命令周倉取回金印，周倉騰空往外而行，只聽得天鼓一聲響，金印早已在周倉手中。

這金印，降世不識年月，來歷不知始終，乳名天璽金印，出入不見形蹤。

我知道此事，替溫平緊張，曾托人急急傳達信息給他，要他速速懺悔。

然而，他不聽，他說不信，他這一世所賺的錢，就算花天酒地也花不完，只要不去賭博，進出酒家、舞廳、帶酒女、舞女出場，絕對是用不完的。

溫平的說法，的確也沒錯，一個富豪，最忌賭博，賭博再多的錢，也會賭光。

尤其賭錢，是一翻兩瞪眼，富豪忌賭錢。

如果不賭。單單花費在酒家、舞廳，那溫平的錢，的確花不完，花不盡。

溫平也作了一夢，夢見周倉來索取金印。

溫平說：「金印已授給我，何又索回？」

周倉答：「不止要索回金印，還要索回你命。」

溫平問：「如何索命？」

周倉答：「豈不聞，覺世真經說，登徒子，請試青龍偃月刀嗎？」

溫平夢中恍恍惚惚，也不懼怕。

他根本也未懺悔。

❀

金印被索回後，原本只是一顆天璽而已，未必真會有何事發生，但是，天有不測風雲，人有旦夕禍福，這句話是千真萬確的事實。

溫平的大餐館出事了，出了什麼事？幾百人集體大中毒，全部送往醫院急救，這是食物中毒，食物內有隱藏的細菌所致，此事雖無人死亡，但茲事體大。

溫平的餐館有多家，真正怪的是，連續幾家都出事，全有食物中毒的現象。

消息見報後。

餐館生意急速下降，原本生意鼎盛的現象，變成了門可羅雀，生意出奇的差，不復往日的盛況，只有日日賠錢，最後，只有餐館一家又一家的收。

就算再開新的。

重新宣傳。

竟然一樣的不起色。

溫平的建築業，房地產業，也是相當興盛的，但，命運是一致的，溫平建的大社區，在一場豪雨之下，土石沖涮之下，建築的地基全毀，上面是高樓，下面是空的，大樓數棟全傾斜了，成了危樓。

這一賠，成千上萬。這件營造過失，不只是錢，尚牽纏官商勾結，所以賠錢能了，官司免不了。災情慘重！

最糟的是，溫平飲酒過度，早已傷了肝，得了肝硬化，只半年，回天乏術。

溫平死了！

由溫平得金印，再失去金印，最終死亡，使我想起，今天的世界愈來愈形黑暗污濁，今天，世界上的色情業，正方興未已，很多青少年先接觸了淫書淫畫，導致了不正當的念頭。

而色情事業從淫書開始，每出一本書，就無形中害了上百上千上萬之人。

寫淫書的人，或者以為，自己隨興，賺取稿費，讀者看或不看，全在自己意願，怎可怪罪在作者頭上。然而，作者也可想想，如果自己不寫，怎有可能擺在書攤上，書攤上的半裸男女又是誰的傑作，青少年從書攤上走過，眼光被書吸引，是誰製造了如此的邪緣。

據我所知，就有這樣的一個人，是我小學同學，姓張，他腦筋聰慧，成績很好。

高中考入名校，後來迷上淫書，向暗中出售者購得，當時政府有令，禁售淫書，然而有陽奉陰違者。張同學看淫書，喜手淫，他也介紹我看，我一看大驚，幸未著迷。

而張同學筋力未充，血氣未定，而先喪真元。最後，形體枯羸，菁華銷鑠，成了黃臉肌瘦，百病叢生，其父母見狀大驚，束手無策。

張同學最後精神崩潰，入住精神醫院。

害他者何？

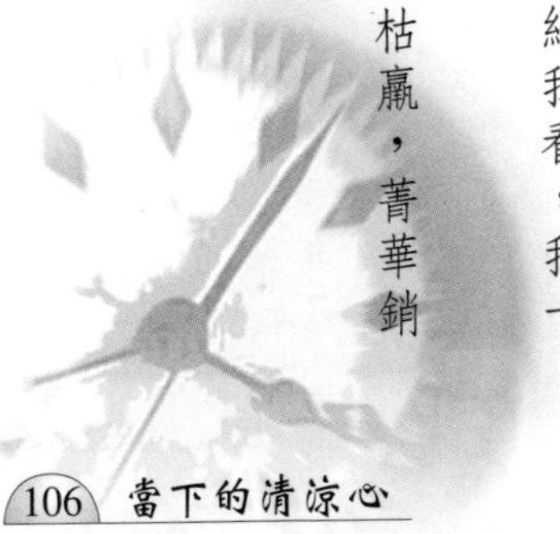

淫書淫畫也。

而淫書淫畫的作者，正是間接的殺人者。

我認為，被淫畫淫書所害的人，當然不只張同學一人，被害的青少年不知凡幾，尤其少年子女好奇，看見五花八門，説得形容盡致，早已意動購閱，甚至介紹朋友購買傳觀，目醉心迷，神魂顛倒，每一個人身心早已無形受到耗折了，觀念上也已經不正當，不正常了。

不要以為青少年才定力不足，那些中老年人，也好不到哪裏去！中老年人，意不自持者，比比皆是。

我在歐洲荷蘭、丹麥，看過櫥窗女郎。

在泰國曼谷，見過泰國浴的女郎。

香港有「一樓一鳳」。

台灣有「個人工作室」。

我在美國紐約，逢一黑人少女，身披大衣，阻我去路，給我一張紙條上書：

「你想和我約會嗎？」

我搖頭。

那黑俏少女說：

「我可以讓你當皇帝。」

我又搖頭。

她又說：

「我很會吹，你可升天。」

我說：「不。」

那位黑俏少女，打開大衣披風，告訴你，裏面根本一絲不掛，內衣內褲全沒有。

我大驚失色，跑了，她則哈哈大笑。

今天，世界上的色情業，不是我說的，見報端所載之目錄告白就清楚明白，多少藏垢納污，多少引人意動入陷阱的地方。又有艷女來奔，淫婦自動投懷送抱，這色情之緣，可以說，已到舉步即是的地步。

我們受環境的耳濡目染，又有一些損友之慫恿，如果不靠平日修行的定力，實在是很容易失足的。

我在法國，又見有：

換妻。

人妖。

同性。

我覺得，世風已壞，人性已滅，人的身心無形受耗，早已耗精耗神，更嚴重的是性病喪命，絕嗣斷宗。想及此時，悔之無及，我奉勸人，勿蹈色情之危機！

❀

溫平先生獲關聖帝君的金印，原本是大吉大利的，如果好好保惜，是一件美事。

可惜，得大福之後，卻犯淫戒，關聖帝君將金印收回，原本大吉大利的，轉換成大凶大禍。

相應了：

禍兮福所倚，
福兮禍所伏；
憂喜同門兮，
吉凶同域矣。

這就是，一切禍中均有福份，一切福中均伏著禍殃，人生憂喜是一起的，吉凶也同源啊！

如果溫平先生原本就沒有金印，他會輕輕鬆鬆過日子，至少是無牽無掛的。

有了金印，福份就到，福份一到，慾望也到，慾望一到，禍事就來，這樣子來看金印，好像是一種考驗。

我個人發覺，冥冥之中，是有鬼神無形的鑒察。行善的人，命運會改變，會得祿，會增壽，會增加福份，增加智慧。行惡的人，會減壽，會得病，會削祿，突然間夭亡奇禍不測，甚至遭回祿。

溫平先生的這件事，就是很好的明證。

我有一位弟子，他取得我親自畫的健康符，他常年把健康符佩在身上，非常珍惜。

有一回，他在交際場所，遇到一位佳麗，兩人相談甚歡，那位佳麗凝眸屬意他。

同仁也督促他去。

這位弟子心猿意馬，心神不定之時，突然耳畔聽聞一聲：

「不可！」

怪哉！這明明是師尊的聲音，但卻看不到人。隔了一會兒，又是一聲：「不可！」。四周根本沒有師尊，聲音不知從何而來？他疑神疑鬼。

這位弟子，本身是公司外務，交際應酬難免，平時力制色心，尚可把持，他自認為色慾一關，把得牢，截得斷，家中亦有嬌妻幼子，修真佛密法，受菩薩戒，其人不二色。

然而，他遇到的這位佳麗，彷佛是前世冤家，相逢就覺得特別有緣，有清純的相貌，有柔嫩之軀，看起來根本不是交際花，如同學生一般。兩人一談，又非常投緣，這就令他特別在意，當佳麗屬意他時，他沒有厲聲拒絕。

同仁督促。

他心想慾事，本想順水推舟，神思憒亂之時。

最後，他又聽到第三聲的：「不可。」

他猛省，修密法之人，又受菩薩戒，想起密教祖師的名言：「有漏皆墮。」人生慾念不興，則精氣舒布五臟，流於左右脈及白脈。如果慾念一起，慾火熾然，則五臟如火焚，精髓開始竄動，從命門宣洩而出。就算未宣洩而出，而慾心既動，如同烈火燒鍋內之水，立刻看見消竭，這是慾念足以傷身之實據也。

很多年輕人，慾念熾盛，如果不節制，往往想出病來，這也是常有的事。

這位弟子，猛省這些，也就乘機逃歸。

那晚，弟子的同儕送佳麗回住處。

同儕與佳麗一宿。

這位同儕才只是一宿而已，竟然得病，尿道發炎，小便小不出來，痛得臉色發青，急送醫院救治，才知此清純佳麗傳染了性病。

同儕雖不死。

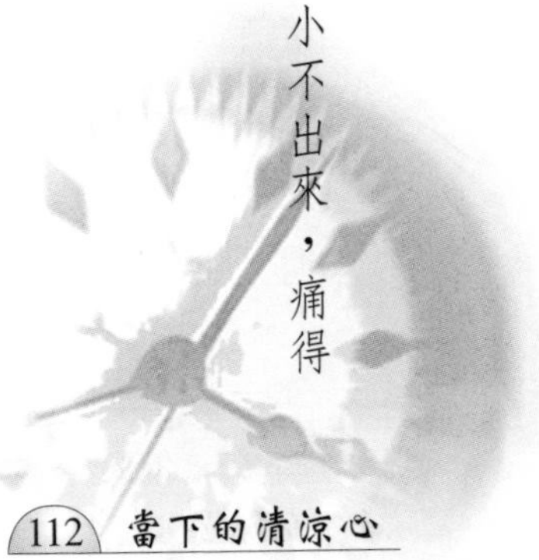

但號中乞命，可憐！

所有同仁都笑他，真是無辜受災。

我的弟子來告訴我這一件事，認為這是身佩師尊親畫的健康符所致也！

他問我：「不可！是否師尊知之而發聲？」

我只笑笑。

他再問。

我答：「冥冥中皆有鬼神。」

【司祿神】

佛制戒律，出家弟子的五戒之中，
淫戒至重也。出世的聖人，
入世的賢人，明道的達士，
早已看出淫慾的本原，
有人主張斷除，有人主張節制，
而密教則主張疏導慾念，
把淫慾化爲修行。

司祿神

「神算靈驗」之事，我的事蹟，是世人津津樂道的。

例如：

早期，我的部隊（五八〇二測量連）副連長魏青萍，手握銅錢，要我即刻算出多少枚？

答：「十四枚。」

魏副連長自己都不知道有幾枚，他數了一下，瞪大了眼珠，原來真的不多不少，是十四枚。

此事使魏青萍皈依佛門，念佛誦經。

又有一次：

一位鐵齒者，嘲笑家人相信我的神算。

至我處時，瘋言瘋語，盡講一些風涼話。

我先請他上前。

他放話問我：

「你能算出我昨夜做什麼嗎？」

我答：「打麻將。」

這位鐵齒者怔了一下，幾乎不敢相信，怎會如此準，他又說：

「是打麻將沒錯，但，你能算出輸贏多少嗎？」

這是一個大考驗，眾人皆看著我。

我答：「八百八。」

那位鐵齒者大叫：

「準，準，準，果然準，準得真神，準得令人不敢相信，天下豈有這等事。」

眾人鼓掌歡呼。

鐵齒者說：

「原本自己只輸八百元，輸了就算了，準備走了。後來，鄰座有人向自己借八十元。我自己想，八十元還借什麼，就當成插花吧！結果八十元也輸了，剛好是輸八百八，自己輸八百，他人幫我輸八十，就是這樣。」

又有一回：

有一位年輕人根本不相信神算的，他只是被家人帶到我處，他縮在牆角，根本不願向前。

家人叫他。

他大喊：

「神算都是騙人的，是江湖術士，都是騙子、騙子、騙子、大騙子。」

我很安靜，對他說：

「這世界有真就有假，騙子是很多，但，你何不認一認，誰是真？誰是假？」

他答：

「我不管，反正你是騙子！」

我說：

「我能知道你的一些事！」

「我不相信。」他很倔強。

我說：

「你的右腿上擦傷了，而且流了血，昨天你騎機車跌了一跤，是嗎？」

他瞪大了眼睛說：

「我從來沒有告訴任何人，連家人也沒有，只我一個人知道，你是如何知道的？」

他捲起褲管給大家看，右腿上果然有傷，血跡已乾，他自己擦「梅斯里盪」。

他走向我的座位前，給我神算。

眾人歡呼。

❀

一般說來，神算靈驗的事甚多，但也有不靈驗的，如何會不靈驗呢？請聽我一一道來。

一位高官，欲當局長。

有三位競爭者。

這位官員姓鄧，其他三位是趙、陳、梁。

鄧來問我：

「可任局長否？」

我答：「可。」

經過了約半年之久，局長任命下來，不是姓鄧的，而是姓陳的，姓鄧的大怒，來質問我，當初神算說可任局長，何以今日卻不準了，這還算什麼算？什麼神算第一？根本不靈不應？豈不是騙人嗎？

鄧問：

「如何說，你怎麼說？」

我答不出來。面紅耳赤。

鄧再問：

「你不是說可嗎？這是怎麼一回事？」

我啞口無言，我只得回答：「其實我是不知道的，我只是聽司祿神說的，祂怎麼說，我怎麼答。」

「司祿神？司祿神在那裡？」

「司祿神是無形的。」

司祿神

「真是廢話。」鄧極度的不滿。

當我神算不準的時候，當人們質問我的時候，可以想見的，我的處境非常的尷尬，神情自然很頹喪，真的只有無語對蒼天了，我這時候，也只能呼叫蒼天。

正當此時——

我的眼前一亮，司祿神出現了，這神吏手書一「淫」字，給我看得一清二楚，「淫」字底下是某月某日。

我告訴鄧：

「你犯淫戒！」

鄧答：「沒有。」

「某月某日。」

鄧仍然答：「沒有。」

我傻了，明明司祿神手書「淫」，又有某月某日，指示非常清晰，怎會可能沒有，我不相信。

我說：「請清楚想一想。」

鄧想了想，又仔細的算了算日子，仍然答：「沒有。」

這時司祿神又指示我，鄧是偷窺鄰女洗澡，我聽了司祿神講偷窺洗澡，心中就想笑，但不敢笑出來。

我對鄧說：

「不是私通，而是偷窺鄰女洗澡。」

鄧一聽，換他傻住了，他不再說話，低著頭走了。

據我所知，鄧的情況是這樣子的，鄧原本是局長的格，約幾個月前，鄰居搬來一位單身女郎，模樣俏麗，人也落落大方，鄧對她多注意了幾眼。

鄧有一窗，巧對鄰居浴室。

某月某日，鄰居女郎沐浴，忘了關窗簾，鄧剛好看見，於是鄧取來望遠鏡，從頭看到尾，從頭看到腳，口中嘖嘖稱讚不已，而內心也極度興奮。

口中言：「能與此女一度春風，也不枉虛度此生！」

眼看心想。

心癢難抑也。

司祿神說：「雖然鄧與鄰女事情雖然未成，但，鄧窺見鄰女沐浴，應該即時迴避，非但未迴避，竟然從頭偷窺到尾，不但眼動，其實心也動。淫慾之心一發動，雖非有淫事，也已犯了淫戒也，因此削去祿位，須六年後才當局長。」

❀

又有一回，一位呂固中將到我處。

呂固說：

「蓮生活佛盧勝彥，聽說你神算第一，所以今天我來請問你。記得早年，家父母請來一位鐵板神算的葉師父，替我占算，說我十八歲就拿到全國大學聯招的狀元。後來入軍事研究所，二十七歲取得博士學位。三年赴美，又取得另一博士學位。五十三歲時，將官達上將。」

呂固接著說：

「這位鐵板神算的葉師父，是非同等閒的師父，要請他批命，一定要重金，他批命也要看人，小命運的他不算，同時要排期預約，並非隨到隨算。

葉師父給我批的，非常的準，我真的十八歲時，全國大學聯招得第一名。然而二十七歲取得博士學位，卻差了一些，我二十九歲才拿到博士學位。三年赴美，取得另一博士學位是真的。五十三歲官達上將，這就差了，如今我五十六歲，仍然是中將，始終和上將擦身而過。現在我要問盧師父，請你算算我一生的命運，又何時會當上將？」

我用我神算的方法，替呂固算了算。

我手掐「祿」字手訣。

再按時辰手訣。

最後用「召請」手訣。

我唸：

「咒起翻雲攪海，指向法界虛空，動處如鑰開鎖，靜處如日破洪，照見陰陽交感，現出司祿仙翁。急急如太上老君律令。」

這咒唸三遍。

司祿神如一點星光，漸漸變大，出現了。

我問呂固一生命運。

司祿神的回答與葉師父所算無差。

我又問：

「何以得博士，卻遲了兩年？」

司祿神答：

「原本他可以如期拿到博士學位，然而他卻和一些年輕學子，在一次酒後，去了娼家，同學鼓舞他，他為了表示有膽，和一位青樓妓女姦宿一宵。因此，遲了兩年。」

我問：

「娼妓一宿，便差兩年？」

司祿神答：

「莫看青樓妓女，倚門百媚夭斜，須知君子惜身家，護玉一般深怕。彼自落花有瑕，我終白璧染污，破財傷身誤生涯，染毒罹疴禍大。」

司祿神再說：

「遲了兩年，只是小罰，染了毒就死了，博士成了博士，又成了博死。」

我捲舌無語。

我又問司祿神：

「呂固應該在五十三歲昇至上將，又何以今年五十六歲，才是中將，而且未擔任重要職務，何以故？」

司祿神寫了二字給我，此二字是：

「莫書。」

「莫書是什麼意思？」我好奇。

司祿神答：「人名。」

「此人和呂固有關？」

「自然。」司祿神說：「呂固算是世間才士，文武皆備，少壯犯一娼妓，已遲兩年，只是小罰。中年之後，卻不知改過，竟然喜男色，莫書者，弱冠才華，丰姿韶秀之下屬者也，呂固與莫書共聚八年。呂固官至中將已是僥倖，何可有上將重職之想，他只求自己祿位，竟不知已惹下孽障。」

「呂固將來如何？」我問。

「報在其子。」

「其子如何？」

「絕嗣夭亡。」司祿神說。

我聽了大駭。

我對呂固先談差遲二年拿到博士學位的事。

呂固回答：

「是有的。年輕時，大夥一起去，大家好玩，想不到就這麼樣，真的遲了兩年。」

再提到何不能當上將？我寫了「莫書」二字遞了給他看，他看了「莫書」兩字，低頭不語。

「可有這等事？」我問。

「有。」呂固點頭。

呂固站起來，對我說：

「蓮生活佛盧勝彥，你果然神算第一。然而，我終於也明白了，人的命運，雖有天定，但，事實上也一樣會改變，變來變去，唯在自心。」

「說得好，希望你自心體會，免得遭報！」

呂固走時，我給他一張紙條警語：

「男女居室正理，豈容顛倒陰陽，汙他清白暗羞愴，自己聲名先喪，浪費錢財無算，戕生更自堪傷，請君回首看兒郎，果報昭昭不爽。」

過後不久。

呂固果然獨子發生車禍身亡，真的絕嗣！

司祿神厲害。

❀

再有一件有關「司祿神」的事——

有袁茂者，是工廠老闆，業五金。

早年來問事。

司祿神答：

「十五年後，大富商。」

結果是，約十多年後，袁茂經營的工廠倒閉，袁茂因借貸太多，負債纍纍，逃到國外，從此流亡海外，無法回到自己的國家。

袁茂在海外很辛苦，他在跳蚤市場擺地攤，收入非常微薄，他也當建築工人，原本是工廠老闆，如今卻在屋頂上爬來爬去，結果建築不是內行，被辭退。

袁茂在一家餐廳打工，勉強糊口。

後來，袁茂在海外，查訪到我住的地方，坐了灰狗巴士，趕來找我。

他在灰狗巴士上，共搖晃了三天兩夜。

我清晨看見他，嚇了一跳，昔日的袁茂，西裝筆挺，油亮的頭髮，出門有黑色大轎車，有司機及祕書。今天的袁茂，一頭灰白髮，不修邊幅，一件破夾克，皺紋爬滿臉，風塵僕僕，一幅潦倒的模樣，狀至可憐。

我請他進屋內，倒了一杯熱牛乳給他，又請他吃了麵包，他連早餐都未吃。

袁茂問：

「司祿神說十五年後，我會成大富商，如今？」

「現在幾年了？」我反問他。

袁茂用指頭算了算：

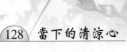

「剛好十五年，司祿神不準了，你神算不靈了！」

「我。……」我回答不出來。

袁茂一臉的委屈及無奈，問：

「怎會不準不靈呢？」

「這。……」

袁茂說：

「當年，我的工廠做的最輝煌的時候，也曾請你到工廠來看風水地理，依照你的意思，改正了缺點的地方。也曾請你神算，你說十五年後，一定大發，十五年後是人生的最高峰。如今，正好十五年後，我潦倒如此，你怎麼說？」

「我，我也不知道。……」我汗涔涔下。

袁茂說：

「現在，我走投無路，你說我怎辦？」

「我再幫你算算如何？」

「算？怎麼算？」他似乎有點火大。

我閉上眼。

竟然看見司祿神，左右手各牽了一個小孩。

「誰的小孩？」我問。

司祿神答：

「袁茂的水子靈。」

呵！我知道了，袁茂在這十多年中，殺了生，拿小孩子，所以有兩個水子靈。

我說：

「袁茂，你殺了生，你的女人墮胎拿了兩個小孩。」

袁茂答：「墮胎的多的是，罪有那麼重嗎？」

司祿神再現，搖頭示我，用手指向虛空，虛空中現出一座尼姑庵，一位嬌美年輕的比丘尼走了出來，左右手各牽剛剛的那兩名小孩。

這下我駭然，當下明白。

我說：

「袁茂你夭壽，你污辱比丘尼！那兩名水子靈，是比丘尼生的，是嗎？」

這回換袁茂額頭有汗水。

「這…這…，這比丘尼也喜歡我啊！」

「唉！」我嘆氣：「佛寺中有佛有菩薩，有金剛有護法，比丘比丘尼是清淨的修行人，如果去引誘之，這是罪加一等的。你行為不檢，淫比丘尼，連生二子，又墮胎，這是何等重大的罪業，今之潦倒，其來有自。」

「是這樣嗎？」

「當然是。」我答。

「我以後怎辦？」

「發誓持戒，我認為你必須寫疏文，列出你的姓名八字。簽上你的名，對天地立下誓言，焚文書，告於天地，從今懺悔前過，以後舉止動念，務必戰戰兢兢，完全不涉及邪淫，永斷孽根，重新走回正路。不只是如此，以後心存善念，時時以口或傳單，勸人勿邪淫，經云，戒邪淫，得五增福，也可避三塗惡道之淪也。力圖自振。」

袁茂聽了，唯唯稱是。

有一首修行犯淫的詩詞：

「彼即修行出世，豈容覓趣調情，敗他戒行壞他名，不顧佛家清淨。神目赫然如電，男女借隙相乘，官刑冥罰禍非輕，真是墮身陷阱。」

我送走袁茂。

給他兩千元美金，期望他永遠自新。

❀

對於袁茂的事，我有一點感想——

我看過「刺鳥」的影片。

內容描寫天主教神父與一名女子的感情糾纏。這名女子，對於神父，有一種征服的內心欲念。

對這影片，我聯想到——

信女去勾引出家比丘。

信男去引誘出家比丘尼。

比丘與比丘尼。

這一類的事，不是沒有，一遇此事，媒體最有興趣，馬上擴大宣傳，不管真實與否，反正愈是傷風敗俗的修行醜事，愈登愈有人看，愈有賣點，現代潮流變了，媒體有迷亂顛倒的本領，真相又有誰去顧及？媒體當然是這種醜聞的宣傳隊。

修行人，如果去犯淫慾，在因果上，更覺得可怕了，這是知道佛法，更去犯法。

佛典上説，造淫業的人，他得到的報應，是妻女不貞，斷子絕孫，死後入三塗惡道。成了畜牲、餓鬼、地獄。百千萬劫，不易出離，再得人身。

犯淫戒的人，會喪失了地位，敗壞了名譽，耗散了資財。好淫的人，多病，容易衰老，不能長壽。

在影響上，社會唾罵，怨讎深結。

最終是教譽受損啊！

女人去勾引比丘。

男子去引誘比丘尼。

比丘比丘尼互相犯戒。

這是萬惡淫為首之首。

所以佛制戒律，出家弟子的五戒之中，淫戒至重也。出世的聖人，入世的賢人，明道的達士，早已看出淫慾的本原，有人主張斷除，有人主張節制，而密教則主張疏導慾念，把淫慾化為修行。

在這些範圍之內，善說力勸，無非希望人人打破迷關，從世俗的快樂，得到清淨的極樂。

密教修法——

身——光明風脈。

口——氣點雙流。

意——大樂清淨。

我當然知道，比丘比丘尼在未得證道之時，人非聖賢，誰能無過，但，要能力行守戒，知天道禍淫，要時時懺罪悔過，人人知道贖罪之方，毅然斷除。

對於裨益人心世道的善書及經典，要宣揚推廣，使舉世之人，明白徵逐物質享受無益，放縱淫慾墮落之苦，不要大肆提倡，如此才能社會和祥平安，風俗漸漸變好，人心淳厚。

我寫偈：

一切事業以身為本。
傷身之事種種不一。
最酷烈者莫過淫慾。
是以君子持身如玉。
莫邪存誠以此修身。

【城隍夜審】

我們修行，原是修心，
猜拳遊戲，剪刀石頭布，
當然不算是業，
但，你的起心不正，
以猜拳遊戲達到姦淫的目的，這就是業了。

城隍夜審

有一夜，突然有二吏來請。

我問：「何方？」

答：「城隍。」

「有什麼事？」

「不知。」

我隨著二吏到城隍廟，我一向和城隍菩薩私誼非常好，我有事，常常請城隍菩薩幫忙，城隍菩薩有事，也請我相助，尤其是我出生地的嘉義城隍，及我長住地的台中城隍。

到了城隍菩薩廟，已是中夜，燈火通明。

見城隍菩薩赫奕升座。

左右是文判武判、牛頭馬面。

城隍看見我至，忙請人搬桌椅，我坐一旁。

我問：

「是夜審？」

「是。」

「為何請我至？」

「和你有關！」

「我？」

「當然不是審問你。」城隍菩薩開玩笑：「如果要審問你，除非太初古佛，原始佛，哈哈！」

罪犯提上來，這罪犯跪著，手腳都上枷鎖，我一看罪犯，嚇了一跳，竟然是鄭科。

鄭科是誰？原來這位鄭科是今天早上，帶著我寫的許多著作，到寒舍，一直要皈依我，拜我為師。我看他一心一意要皈依，意志非常堅決，也就給他授了皈依。今天早上授三皈依的弟子，晚上竟然是城隍廟的罪犯，當然嚇了我一大跳。

這位鄭科罪犯，並沒有發現我在，也許城隍菩薩的安排，我坐的位置有暗影，對方看不出我是誰？

城隍問鄭科：

「某月某日，你強姦一女，知罪否？」

「知罪！」鄭科伏首。

「懺悔否？」

「懺悔！」

「你為什麼會懺悔？」

「因為我讀了蓮生活佛盧勝彥的書。書中說，一害人節，女子一生大事，只重節字，姦了她，使她失了節，瓦破豈能再完。二害風俗，鄰里中有這廉恥喪盡，人面獸心的人，愚人看了榜樣，朋比為奸，最足傷風敗俗，這種惡習，定遭劫數。」

「說得好！」城隍說：「你如何表現你的懺悔？」

「我去皈依蓮生活佛盧勝彥。」

「什麼時候？」

「今天早上。」

「這位活佛盧勝彥教你什麼？」

鄭科答：

「除了教授三皈依之外，還教我一偈！」

「唸來聽聽！」

鄭科唸：

「人想死亡日，慾火頓清涼，愚人若聞此，愁眉嘆不祥，究竟百年後，同入爐燬場，菩薩死亡觀，苦海大津梁。」

城隍聽了動容，眾鬼神亦然。

城隍菩薩說：

「今夜夜審你，原是要治你重罪，要將你筋肉爛壞，骨節縱橫，直令你死才止。如今，你已皈依三寶，也已真實懺悔。死罪可免，活罪難逃，將你雙足用釘釘上。」

左右湧來鬼卒，將鄭科掀倒仰臥，一聲釘，痛疼徹骨！

鄭科大叫一聲。

一無所知。

大約一個月後。

鄭科扶著拐杖來找我。

我問：「怎麼回事？」

「皈依的當天晚上，一覺醒來，雙足大痛，已無法行走！」

「是業障現前？」

「我自己也不知道，我想，我是不是皈依錯了人。那有今天皈依，明天就無法動的道理。然而，師父傳授的三皈依是佛法正理，又講的是，諸惡莫作，眾善奉行，自淨其意，是諸佛教，全是佛陀的教法，不會有錯，因此，前來請教！」

我笑笑，不想全盤告訴他。

我問：

「去看了醫師嗎？」

「看了，查不出為何如此。也服了許多祕方，均無效果。有人說，沖犯鬼神，請法師作法祭煞，至今仍未有起色。因此來請教師父看看是何因？」

我當然早已明白前因後果，只是不明說，我說：

「幫你查查。」

我問：

「在未皈依前，你犯重業嗎？」

「重業？」鄭科想了想，搖頭，又反問我：「什麼是重業？」

「在佛教，五種嚴重性的罪惡行為是一、殺戒。二、盜戒。三、邪淫戒。四、妄語戒。五、酗酒戒。另外，在殺方面，殺男人、殺女人、殺害嬰兒、殺畜生、破寺廟，都是嚴重的殺毀行為。還有，傷害佛教師父、傷害僧眾、傷害親友、傷害主人、傷害信賴自己的人。」

鄭科說：

「沒有。」

「你再想一想，娑婆世間眾生，舉止動念，無不是業，你真的一點也不犯嗎？」

鄭科沉默不語。

我問：

「某日某夜呢？」

鄭科悚然一驚：「師父已知。」

「略知。」

「那算是業嗎？」鄭科問我。

鄭科告訴我的情形是這樣的：

偶然的一次機緣，他和一位同事夫人單獨的聊天，兩人聊的很高興。

鄭科覺得對方很可人，偶動綺念：「和你聊了這麼久了，總要來點不一樣的吧！」

女的說：「什麼是不一樣的！」

鄭科說：「不要再談，人生哲學觀點，來點現實刺激的顏色如何？」

女的不解：「現實刺激？」

「你看電影鏡頭，R級的，X級的。」

「我們不來那個！」女的說。

「當然不是，我們來玩猜拳。」

「猜拳？」

「是的，猜拳而已，剪刀石頭布，輸的脫褲褲。」

「這不行，如果我輸了。」女的說。

「不一定你輸，可能是我輸。」鄭科說。

女的認為自己會贏，又想佔鄭科便宜。於是真的猜拳了，兩人喊：

「剪刀石頭布，輸的脫褲褲。」果然相當好玩刺激。

就在猜拳遊戲中，鄭科先輸，脫得剩下內褲。幸好後來贏了，換女生輸，先前鄭科脫了，女生不得不脫，如此一來一往，最後的一聲：

「布！」

女生要全脫光。

女生要逃。

鄭科拉住她，鄭科早已血脈賁張，心中「波濤洶湧」，在情不自禁之下，有了更進一步的要求。

女子說：「這樣不好吧！」

鄭科說：「再猜一次拳，讓命運決定。」

女子又認為不會輸。
這一猜拳，男的是剪刀，女的又是布，剪刀贏了，布輸了。
鄭科欺身而上。
女的半推半就。
就這樣的，兩人成了「另類對話」……。

❀

鄭科問我：
「我是贏來的，也算邪淫罪業嗎？」
「這。……」我瞠目結舌。
我最後說：
「我們修行，原是修心，猜拳遊戲，剪刀石頭布，當然不算是業，但，你的起心不正，以猜拳遊戲達到姦淫的目的，這就是業了。」
鄭科告訴我：

「我實言告訴師父，未來我不敢說，現在不得不說，因為我皈依之後的第二天，雙腳就無法行走，因而去請教外界的很多佛寺法師，他們異口同聲的告訴我。……」

我靜等鄭科再說下去，他卻阻住了。

他再問一句：

「可以說嗎？」

「當然可以。」我笑了。

「很難聽喔！」

「再難聽也聽過了！」我很坦然。

鄭科說：

「蓮生活佛盧勝彥是大天魔來的，是宗教界最大的邪師外道，詐財騙色的大神棍，他所說的全是假的，欺世的大騙子。很多人都上了他的大當，他詐財一流，騙色一流，周邊很多女弟子，都迷戀他，全被他騙了。他們說：正信的佛教法師不去皈依，偏偏去皈袋一個邪魔外道，一皈依就雙腳不能動顫，這正是天魔外道最好的明證。」

「還說什麼？」我冷靜的問。

「沒有了。他們說，你皈依錯了人，才會這樣。」

「我二十六歲開始出來，今年五十七歲，三十年來，這些老套的話，早已聽膩了，沒有更新鮮的嗎？」

「沒有。」

我對鄭科說：

「好。看在佛教法師的面子上，他們罵我的份上，我一定要治好你的腳，治不好，我就不叫盧勝彥。」

鄭科聽了很高興。

❀

我先找我的換帖兄弟「城隍菩薩」。我以為一說就成，可以把鄭科的腳釘拔掉，一拔掉，腳就好了。

想不到城隍菩薩一聽，搖頭：

「老盧！這回你差了，這腳釘非一般的釘，而是天釘，是玉皇老爺發交下來的。」

「有這麼嚴重嗎？」我青了臉。

「你知鄭科是誰？」

「不知。」

「鄭科的前世，正是明朝崇禎進士于韜，于韜任江寧期間，共淫九人。」

「啊！他是累犯，罪不可赦。」

「正是。」

「天釘不可拔！」

「正是。」

我這下慘了！

我只有找玉皇老爺去。

也許有人會如此想，「城隍菩薩」是你的換帖兄弟，「玉皇老爺」說找就找，蓮生活佛是何許人也？

我答：

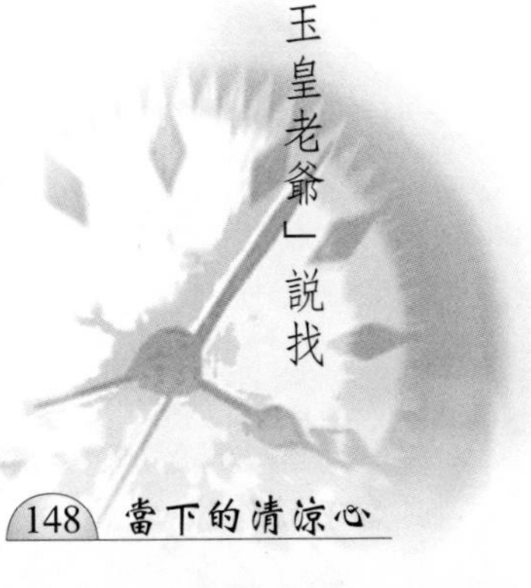

歷劫不知歲月。
來歷無始無終。
我名金剛不壞。
生死杳杳冥冥。
就是彌陀在此。
何須萬里尋逢。

我在「善法堂天」見了玉皇大帝。我開門見山，要玉皇老爺拔了鄭科的天釘。

玉皇老爺也為難，玉皇老爺說：「要拔天釘，說難也難，說易也易，總之，三心四相掃乾淨，十惡八邪要除清，恩愛情慾毫不染，貪瞋癡愛並不生。」

「這我明白，還要你來說。」

玉皇大帝說：

「這天釘雖是我發交，但依天律行事，天律共有三千卷，就算是九天大神，也要依律而行，倘不依天律，反而觸犯天條，也要遭墜落，萬劫難以超生。」

我不想同玉皇老爺多說，我擺一擺手，找佛祖去。

我這法身，原是穿透三界的，也是瀰佈天地遍虛空的，西方靈山大雷音寺也自然可以說到就到，本來就是妙法無窮，無形無相也無蹤。

我到靈山——

韋馱與迦藍先迎我。

大迦葉與阿難皆下了階。

八大金剛排兩邊。

我見了馬鳴、龍樹、脇尊者、商那阿修、鳩摩羅什、般若多羅等等。

釋迦牟尼佛坐八大獅子金剛法座，問：

「蓮生從何而至？」

「東方至西方，十萬八千里。」

「多少時光？」

「一念。」

「因何至此？」

「為鄭科。」

「芝麻小事，你是為何，全無道理。」

「事雖小，而出口願大，卻變無窮道理。」

釋迦牟尼佛笑了：

「這蓮生小子下了娑婆，口齒變伶俐了，你想想，我如何能夠助你？」

「佛律一下，天釘可拔！」

佛祖說：

「我佛度人，以戒為師，佛規嚴明，依法而行，修行大道，不是亂行，夢幻泡影，全憑真心，無明未盡，不明自性，皆有因果，種下禍根。」

我答：

「佛戒妄語，言而有信，由信化運，是曰德行，今為弟子，慈悲大仁，只為口願，施濟而行。」

佛祖說：「你要量力而行。」

我答：「全憑功行。」

釋迦牟尼佛沉吟一下，說：

「此事有了，你當記得，當年目蓮尊者救母之事，憑目蓮一人的功力，當然無法入地獄救母，須要運用多人的功力，能聚合眾聖僧之力，始可有功。現在城隍無法可助你，玉皇老爺也無法，我佛律中，也得守清規，你何不想想，聚合眾人的力量，去解除鄭科的厄難呢？」

我靈光一閃，知道有了。

我向佛祖稽首，繞行三匝。

離開西方靈山大雷音寺。

✿

我畫了九道靈符焚化。

召請九人替代。

我自己也替代。

我在西雅圖雷藏寺的後方籃球場打籃球，球跑了，我追球，追到邊緣，水泥地與泥土交接之處，由於水泥地高，泥土低，我的腳一扭，就扭到了，傷了腳。

傷筋動骨一百天，痛得我哇哇大叫。

說也奇怪的是，在我傷腳的三個月內，西雅圖雷藏寺接二連三，一共有九個人傷了腳，連我自己正好是十個。

眾人皆大奇。

「是替代？」有人問。

我只是微笑。

「這真奇怪，有十個人腳傷？」

「是真的太奇怪了。」我亦如此說。

「那有那麼巧的。全在這時候。」

「真是巧合。」我說。

聚合十個人的腳傷替代。

鄭科的腳好，不痛，也能走路了。

我教鄭科「四覺觀」：

凡夫淫欲念，世世常遷徙，宿生為女時，見男便歡喜，今世得為男，又愛女人體，隨在覺其污，愛從何處起。

睡起生覺第一——默想清晨睡起，兩眼朦朧，未經盥漱，此時滿口粘膩，舌黃堆積，甚是污穢，當念絕世嬌姿，縱具櫻桃美口，而脂粉未傅之先，其態亦當爾爾。

醉後生覺第二——默想飲酒過度，五內翻騰，未久忽然大嘔，盡吐腹中未消之物，餓犬嗅之，搖尾而退，當念佳人細酌，玉女輕餐，而杯盤狼藉之時，腹內亦當爾爾。

病時生覺第三——默想臥病以後，面目黧黑，形容枯槁，又或瘡癰腐潰，膿血交流，臭不可近，當念國色芳容，縱或丰華少艾，而疾苦纏身之日，形狀亦當爾爾。

見廁生覺第四——默想通衢大廁，屎尿停積，白蠟青蠅，處處繚繞，當念千嬌百媚之姿，任波香湯浴體龍麝熏身，而飲食消融之後，所化亦當爾爾。

我告訴鄭科：

「淫念一生，種種惡念隨之。」

例如：

貪戀心。

佔有心。

吃醋心。

嫉妒心。

牽纏心。

傷害心。

殺毀心。

（後面的兩種心，是得不到時，就會生起）

鄭科聽了我的告誡，唯唯稱是。

我說：「見他人妻女之美貌，便起了奸邪的念頭，這個念頭一起，雖無實事，已難逃鬼神的禍罰。」

鄭科答：「自當記住。」

後來，鄭科去皈依一位出家的法師，我認為很好。

鄭科又獻了一塊地給這位出家法師蓋道場，我認為也很好。

鄭科也幫這位法師宣講佛法，也甚好。

只是，我聽到外傳，他在宣講佛法中，提到我的時候，好像口氣不是很友善。

有一回，我遠遠看見他，向他招手。

他低頭，裝作沒看見，急走。

我追上前喊：

「鄭科。」

他回頭，表情很冷漠。

「近來好嗎？」我問候他。

「當然很好，自從離開你之後，一切全好了。」

「哦！」我怔住了。

「你明白嗎？」他反問我。

「我不明白什麼？」我糊塗了。

「那位高人法師告訴我，你是邪的，會給人下降頭，我去皈依你的時候，就被下降頭了，所以馬上雙腳不能動，以後你又用法來解救，這時雙腳又能動了。這是一套叫人對你起信心的方法，我現在已了解了你的作為，你是天魔，是邪教，是外道，你是專門騙人的。」

「哦！原來是這樣！」我低頭。

「本來就是這樣。」

「我無話可說。」

「你本來就無話可說！」

鄭科大踏步，轉身離去。

我內心感嘆啊！不捨一個眾生，不捨一個眾生對嗎？

蓮生淌血不能言。
那想鄭科認不全。
船到江邊人難度。
看來有緣又無緣。

【天扇】

我說眞的，世人還以爲是假。
我的師父曾告誡我，
得眞道者，唯有三途：
第一，立刻涅槃。（圓寂）
第二，遁入山海。（隱居）
第三，裝瘋賣傻。（僞裝）

天扇

有一位五十歲的老弟子姚桐先生來問事，姚桐已結婚三十年，但，夫人連一隻螞蟻也生不出來。

姚桐問：

「有子女否？」

我答：

「無。」

「如何有子？活佛高明，能解人疾厄，賜人如意。」

「命中若有終須有，命中沒有莫強求！」我回答。

姚桐聽了很坦然：

「這種事，確實強求不得，一切都是命。只是我想問一問，命中到底有沒有？」

我答：「無。」

問事過後兩年，姚桐夫婦居然生了一對雙胞胎，全是男的，二子相貌堂堂，天庭飽滿、隆鼻、耳珠垂厚，二子一臉的清氣，令人稱羨。

姚桐夫婦把雙胞胎抱來給我看。同時要我取名字，我取「姚敬」及「姚賢」。

姚桐說：

「我們相信蓮生活佛的神算多年，所以生二子，亦請蓮生活佛命名，這是敬仰活佛的盛名。只是兩年前，請活佛問事，命中有子否？答曰無子，而今有子，如何會如此呢？」

這位姚桐，確實快人快語。

但，我不免心中難過，神算出差錯，如何答，如何不羞紅了臉。姚桐沒有責怪之意，他甚至把小孩抱來給你取名字，仍然敬仰你，只是他想明白，神算如何會出差錯？如果換了一個別人，說不定連理都不理你，早就在背後批評你，罵你了，到處去宣傳神算不準不靈。

我說：「事出必有因，我今天見你的相貌，與往昔大有不同，今日，紅氣蓋頂，往昔，有一絲黑氣，確實不同。」

姚桐說：

「我知活佛善觀氣色，亦想知道有子之因。」

我回答：

「此事，待我明查，再回報於你！」我俛首面赤。

「謝謝！」姚桐說。

❀

當天晚上，我做了一個夢，夢見自己來到一座古廟，這古廟古色古香，相當宏偉。

我到時正好敲鐘擊鼓，兩排鬼神，伏於廟前。廟中主神威靈公立廟門，雙手作拱迎接。

我立足不敢前進。

威靈公喊：

「迎接蓮生進殿，為何立足廟外？」

「我何德何能？」我慚愧。

「高其心就是德，盡一切就是能。」威靈公的話富有哲理。

在大廟中落座。

威靈公坐主位，我坐賓席，鬼神側席，同時供上酒菜，這酒菜亦非凡品，雖然比不上天界仙餚，仙泉玉漿，卻也不差，那酒相當濃烈，入口則化。

烈酒入口，我滿臉通紅。

威靈公笑了：「我本來有兩位天扇侍者，如果天氣燠熱，這兩位天扇侍者，可以幫我們扇扇，這天扇只要一搖，暑氣全消，化為清涼，若二扇就變寒冰，三扇，則降雪結霜，天地變色了。」

「這豈不是西遊記裏的芭蕉扇。」

「雖不是，也差不多。」

我問威靈公：

「這兩位天扇侍者何以不在？」

「下凡降生去了。」

「降生誰家？」

「姚桐之家。」

我一聽是姚桐，大吃一驚。正是踏破鐵鞋無覓處，得來全不費工夫。

「姚桐命中本無子！」我說。

「正是。」威靈公答。

「為何命中無子，天扇侍者又降生他家？」

「姚桐曾到我廟，向我祈禱多回，我見他臉上黑氣，雖然虔誠，都沒有回應他。」

威靈公接著說：

「後來，接到玉皇真敕令，要我威靈公聽令，賜下天扇給姚桐，令其子嗣放光明。」

「命運改變。」

「不錯。」

「為何命運改變？」

威靈公答：

「此改變命運的來龍去脈，我不是很詳細知道，但我知道，姚桐救了一名女子吳燕的性命，同時心地清淨，峻拒邪淫。延壽二紀，得了祿籍，又天賜二子，將來這二子，都是出人頭地，後福無窮的。後來，姚桐再來我廟，我看他的形貌已改變，果然紅雲蓋頂，氣色全變了。」

「原來如此。」

我與威靈公相談甚歡。

❀

後來，我見了姚桐，我提到命運改變的事，我說，你那二子是天扇侍者的降世。

姚桐說：

「對極了，因為要降生的前一夜，竟然夢見祥光萬道在家宅屋頂，空中降下兩把扇子，這兩把扇子不是普通的扇子，是古扇，條紋精緻分明，看得非常清晰，夢完，就生了。這夢非常奇怪，不敢對人言，如今你說了，我才說。」

「還有吳燕的事。」
「你知道了？」
「請你自己細說。」
於是，姚桐講下了他遭遇的真實故事：
姚桐在夜間於河畔散步。
看見一名年輕女子，在河畔站立良久，後來竟然漸漸的走入河心中央，眼看快沒頂。
由於當時夜深，四野無人，他呼叫幾聲救人，均無人回應，姚桐便毫不考慮的下水救人。
幸好姚桐年輕時是海軍陸戰隊的蛙人，又平素喜歡游泳，受過救生訓練。很快的，把年輕女子救了上岸。
一問姓名，就是吳燕。
姚桐問她原因？
吳燕回答，因為年少，上了詐賭集團的當，輸了三百萬元，討債公司派員日日追討，她恐家人見責，無以聊生，債又還不完，所以才謀求死路。

姚桐聽了，惻隱之心油然而生，便幫吳燕的忙，把賭債全部給還清了。

吳燕非常感激姚桐，不但救她，又幫她還了全部的賭債，如同生命再造之恩，又知姚桐無後嗣，便願意以身相許，自願當小妾，為姚桐生子。

姚桐的太太，看見吳燕年少，也姿色甚美，其人只是一時失足，天性善良，也同意姚桐娶吳燕為小妾，果然生子，也是上天的美意。

但是姚桐說：

這是乘人之難，是謂不仁。

本意是善，而以淫慾終，是謂不義。

夫老妻幼，是謂無行，沒有倫理。

正色拒之。

吾寧無子，決不敢犯！

吳燕及姚妻多次的勸姚桐娶之生子。

但，姚桐峻拒之，始終不同意。

過了不多久，姚桐的妻子竟然自己有了身孕，一檢查還是雙胞胎。

這正是：

命運改變實妙哉。
富貴吉祥一起來。
救人戒淫是真善。
一帆風順運自開。

姚桐曾將此事，告訴一位出家人。

法師說：

「如此說來，你若不生子，盧勝彥便說算得準了。你若生子，盧勝彥又說，事出有因，命運改變，也是準的。這樣子算來算去，全是盧勝彥對，我看，神算還能信嗎？盧勝彥還能信嗎？」

姚桐回答：

「佛經上說，這世間有定法，也有不定法，諸行無常，一切都在改變之中，佛陀本身，並不贊同宿命論，認為命運是可以改變的，所以有立命之學。神算的目的無他，教人趨吉避凶之道理，立意亦是良厚。至於我的事，是因緣果報，無子嗣是命，得子嗣是運，這也正是補運。」

法師問：

「怎知盧勝彥神算，準與不準，全用此方法去塞責？」

姚桐答：

「盧勝彥已知吳燕之事。」

「是不是他先調查而知。」

「這。……」姚桐答不出來。

法師認定：

「盧勝彥是邪的，也是外道。」

姚桐回答：

「活佛曾經教導我們，什麼是邪，守五戒行十善的，便是正，反之為邪。不守五戒，不行十善，反而作惡造業，便是邪教。而什麼是外道，佛典中所說，外道非常的多，而總而言之，心外求法的便是外道。活佛教導我們，佛法就是修這佛心，了死超生，明心見性是正道也！」

法師聽了，無話可說。

但法師又辯說：

「聽說他詐財！」

姚桐說：

「活佛一生行事，給人方便隨意，何來詐財之說，他連雷藏寺的寺產都不要。」

法師啞口，又說：

「聽說他騙色！」

「你看見了？」

「沒有。」法師補充：「全是聽來的。」

姚桐答：

「我認識活佛盧勝彥有多年了，相處時間也不算短，他每天只有寫作、畫畫、修法，偶而解一解別人的厄難。如今寫書出版已達百四十本之多，修法無一日間斷，這一種人，憫世心切，涵養真性，言行如一的人，世上可有幾人。像給人隨意之事，外人可能不知，只要接觸他的人都知道，而外面流傳他詐財，豈不是天大的冤枉，縱然外界毀謗那麼多，他仍昂然不動，他只是告訴我們兩句話，其一，不用辯解，學習忍辱波羅蜜，其二，消業障。三十年毀謗苦折磨，學習得天地寬大，反而，德重鬼神欽。」

法師無語。

姚桐回來告訴我此事。

我無語。

我心中想，這一生全為了學佛修道，知道超生了死才是非等閒的大事，其他全是旁支，對一些外面的傳聞毀謗，從來不去理會。為了生死大事，學法修密，閉關苦琢磨，如今才算明心見性，見十方佛，見六道輪迴，本來欲將天機完全洩漏，但恐歹人得知，我反而難逃天鑑。

佛法是說不盡的，我所得的又是如此真實，但世人不知，如何喚醒這世間南柯一夢的人呢！我說真的，世人還以為是假。

我的師父曾告誡我，得真道者，唯有三途：

第一，立刻涅槃。（圓寂）

第二，遁入山海。（隱居）

第三，裝瘋賣傻。（偽裝）

如果不如此，早晚會被人害死，存活率不高。

然而，我這個人，就是不忍看這些紅塵滾滾的淪落之人，不忍見脫骨如山的苦海眾生，只好寫書傳法，一日又一日，一年又一年，我在彼岸等幾回吧！

至於外頭的謠言。

隨他去吧！

【墓中人】

據我所知，人所以會發生「沖犯」，
仍然是「心意已動」的問題，
這「心意已動」根源於慾望。
「心意已動」雖然是無形，
但，「鬼神」早已知之，
由於鬼神知之，所以會有沖犯矣！

墓中人

夜間元神出遊，毫無目的在十法界中遊蕩！
虛空原來天外天。
悟道當下大羅仙。
萬卷經懺全無用。
生死原來自心田。

我到了一城池，這城池是在冥界陰間，這城池相當熱鬧，人煙密集，很多的商家，食衣住行百貨都有，也有小吃攤，有擺地攤的，非常熱鬧。

我在大街上遊走，欣賞此地的風光美景，我竟然覺得，這裡好像是台北最熱鬧的東區，車水馬龍了。

走啊走的，迎面來了一位面目姣美的年輕小姐，她先前是低著頭走，後來把頭抬了起來，看了我一眼，「啊！」的一聲。

我對這位小姐啊的一聲並不在意，因為我在這城池遊走，確實是比較特殊。

這城池是鬼域，鬼身無光，若有光，也淡然。

而我，我是光身，光甚強，甚至虹光，我的身子光鮮，引來多人的側目。

小姐啊的一聲走過，我當然不以為意。

小姐停住腳，對我喊：

「盧勝彥！」

「嚇！」這裡竟然有人認得我。

「你認得我？」我很好奇。

「當然，我是你的長期讀者，你出版的書，我大部份都有，也都看了。」

「你叫什麼名字？」

「謝琪。」

「名字很好聽，人也很美。」

「謝謝！」謝琪很高興。謝琪接著說：「在這裡遇到你，真是太好了，我想，我出離的緣份到了，我將會離開這城池，到美好的地方去。」

「我可不能帶你走。」我有點驚訝：「我可不能平白把你帶到任何法界的。」

「你一定會幫我，不是嗎？」

「幫是幫，但不是把一名女鬼帶在身旁。」

「這當然。」謝琪說：「時候到了，務請你大力加持！」

「你怎知我會幫到你。」

「鬼有五通。」謝琪笑了，笑起來像玫瑰花盛放，滿好看的，令人心動。

我們走到附近的一家咖啡店喝咖啡。

謝琪叫了一杯「南山咖啡」。

我搖頭，我說：「我是不喝咖啡的。」

「為什麼？」

「睡不著。」

「這裡有賣沒有咖啡因的。」

「啊！原來冥間城池已這麼發達，也賣沒有咖啡因的咖啡，那我來一杯，沒有咖啡因的卡普去惹。」

我與謝琪談得非常開心，我問她怎麼死的？她面龐突變，說：「娶妾只因嗣續，何須少艾重重，脂紅粉白髑髏工，總是一場春夢。每見富翁多寵，糟糠冷落閨中，隨時取樂逞淫風，性命攸關實重。」

「你是人家的小妾？」

「是的。」

「小妾好啊！先生多疼小妾！」我說。

謝琪哀嘆：

「小妾之後，又有小小妾，盧勝彥，你懂嗎？有錢人娶四、五個不算多。」

「真的如此！」

「富翁心態！」謝琪說。

「那你呢？」

「跳樓了。」

「真的跳樓死了？」

「當然真的。」謝琪說：「一氣憤就衝動的跳了。」

「我不是在書中勸人不要自殺嗎？」

「到時候，腦袋空白，想不起來了。」

「你在此城池，豈不甚好？」

「盧勝彥，你到底真知還是假裝不知道，自殺者，每逢一時三刻或朔望，全要重死一回，慘狀亦然，痛澈入心，這城池只是外觀，這裏面的鬼，人人內心慘痛。」

「啊！」我心駭然。

「務請幫我出離此城。」謝琪說。

我點點頭。

❀

再說有一天。

有一位陳德先生來找我，這位陳德先生相貌堂堂，穿筆挺的西裝，入屋後脫了西裝上衣，鬆了領帶，指了指自己的脖子給我看，我一看，是一個雞蛋般大的瘤。

陳德說：「毒瘤。」

「開刀否？」

「醫師說開刀，但，毒瘤長得大，根植於神經叢，手術相當困難，用化療，頭髮會掉光，人會消瘦，微血管會破裂，正在研商，如何處置。」

「我幫你禪定觀察這毒瘤！」

「正是。」

我閉上雙眼，精神集中，禪定到自然之處，便是不知也知，這即是恍恍惚惚之中，其中有物，杳杳冥冥之中，其中有精。我這時候是無知人，因無知人才能覺知陰陽，所謂動中靜或靜中動，知者悟也，昧者無知也。

像早期有人問：

「先有雞或是先有蛋？」

此問題果然不易回答。因為雞是蛋所孵化生出，所以應該先有蛋才對，但是，蛋又是雞所生，應該先有雞才對。沒有雞，那會有蛋？沒有蛋，那會有雞？

這問題辯來辯去，辯翻了天，也得不到什麼結論。眾人紛紛擾擾，不知始終。

但，修禪的人知道——

一、混沌之時，根本無卵也無雞。

二、清濁二氣初分，清氣就如同蛋清，濁氣就如同蛋黃。也就是清氣上升為天，濁氣下降為地。

三、天地陰陽交感，二氣通靈，無極生太極也。

四、太極生兩儀。此時如卵生雞。

依習禪者回答此問題：

「先有卵再有雞。」

如果明白這個道理，便知天機所在。

我（蓮生活佛盧勝彥）明白這個道理，所以我能夠從毒瘤中看出一些道理。

毒瘤層層的分裂，分到最後，我看見裏面有靈光，有一鬼在裏面安身。

那鬼甚熟悉。

再仔細一看：

竟然是謝琪也。

我問：「你在何處安身？」

答：「毒瘤。」

「醫師若向毒瘤開刀切除，又在那裡安身？」

「在身子各處。」

「如果化療全身呢？」

「在太虛空。」

我說：

「謝琪，你不要同我辯，在太虛空，你沒有那種能力，你只能回幽冥城池。」

「不錯，我現在求你度化。」

「你實在想度化想瘋了，竟然無緣無故進入陳德身中，害陳德長毒瘤，你這樣是毫無道理的。」

謝琪答：

「我不會做沒有道理的事，是陳德自作自受，怪不得我，這是有因緣的。」

「什麼因緣？」

「問問陳德自己吧！」

於是我從禪定中回來，睜開雙目，我對陳德說，是有一名冤鬼，名謝琪者，住在你脖子的毒瘤裏面，她告訴我，她和你有一些因緣，所以才附身在毒瘤裏，不知你曉不曉得，謝琪這位冤鬼的事。

陳德聽了大駭。

陳德說：

今年的清明節，陪同家人上山掃墓。家人將祖墳旁的野草及長得雜亂的藤枝修剪，清理的乾乾淨淨。

接著在供桌上擺上素菜水果，還有祖先在生時喜歡吃的餐點，點燃線香，大家祭拜祝禱一番。

最後燒紙金。

中國人的清明掃墓，和外國人的清明掃墓，的確大不相同。

中國人供奉祖先祭品。

外國人供奉祖先以花。

以前老外笑中國人，中國人愛吃，但墳墓中的人會爬出來吃祭品嗎？

而中國人也回敬老外，西方人清明節，只捧上一束鮮花，老外會爬出墳墓來欣賞花嗎？

陳德的祖先有沒有出來吃祭品，陳德自然不知道，在祭拜當中，陳德覺得無聊，就在墳墓四周到處走走，他看見右方，約三十公尺處有一座新墳，就走了過去看，這座新墳的墓牌，刻了幾個字，是「愛女謝琪之墓」。

陳德一看，知道是白髮人送黑髮人，墓中人是一位年輕的小姐，再仔細一看，墓牌中印就一張照片，他向前一看，是一位婀娜多姿的少女倩影，兩顆大眼睛，五官很清秀，非常飄逸的神彩。

陳德一刹那被迷住了。

陳德喊了一聲：「可惜。」

陳德竟然無意中合掌：「將來我娶妻，只要像墓中人這麼美就好了。」

陳德又取來相機，照了謝琪的墓牌之相片，鬼鬼祟祟的洗了一張，放在身上，他想，只要有謝琪這麼美的妻子就好了。

我聽了陳德的述說，覺得不可思議。

我問：「你真的這樣子做？」

「真的。」

陳德從皮包中取出照片，我一看，正是謝琪。

「簡直是不可思議，你被美色迷惑了，竟然做出此等事！怪不得被冤鬼纏身。」

「如今怎辦？」陳德惶惑。

我對陳德說，我要用二法——

第一法：是建立壇城，超度謝琪的鬼魂，唸經持咒，用經咒的力量，使謝琪安身立命，轉世到美好的地方去。

第二法：我用金井法，我取神筆，點了紅硃砂，在毒瘤上點了一點，唸：「一畫成江，二畫成河，三畫四畫成金井。此筆非凡筆，乃是盧山秀才筆，指天天清，指地地寧，指人長生，指鬼轉世去，急急如律令。」

原咒是：「指鬼滅亡。」

我改成：「指鬼轉世去。」

我要陳德多來我這裡幾次，這「金井法」有大法力，紅硃一點毒瘤，一次就消了許多，二次就更小了，連連用了七次，這毒瘤就縮小到像珍珠一般大小，我一共用了十次「金井法」，竟然毒瘤完全不見了，平了。

這是：

神筆一點陰人驚。
恍惚之間超三界。
金井祕法傳世間。
霹靂一聲出苦淪。

陳德得救了。

陳德也免了開刀之苦。

如果陳德不找到我，說不定他挨了一刀，再接受化學治療，一個好好的人，被折磨得半死不活，折磨得半死不活病能好，還算好的，如果不能好，豈不是活受罪。

陳德拿謝琪的照片要給我。

我說：「你收著吧！」

「不要緊嗎？」陳德驚惶。

「現在不要緊了，留念，留念，哈哈！」

❀

陳德的事，據我所知，有很多這樣的例子，這不是單獨的特例，而是一種普遍的現象。

例子一：

有一位男士，因為鄰居一位少女過世，他和這位少女也算熟悉，少女出殯時，他對著棺木大嘆「可憐，可惜」。

當夜，他發寒發熱，恍惚中看見那位少女。

從此以後，每天下午四時，他就覺得一陣寒風來襲，身子開始畏寒，感覺那女子又來了。

這位男士自覺身子漸漸衰弱，精神恍惚，半夜常常驚醒，盜汗，心悸。

醫師把他當感冒醫。

這位男士找到我，我一看就知道是「沖犯」。

這種沖犯只用二法：

第一，送煞。把陰人送走。

第二，結界。屋子或臥室或本人，使陰人不再來干擾，就好了。

「沖犯」的問題，我曾經長久的研究，有很多人容易沖犯，有很多人則不會。

一般說來，所謂的八字低，是比較容易沖犯的，八字高的人，陽氣重的人，不容易沖犯。

據我所知，農曆二月出生的人，或農曆十一月出生的人，被沖犯的人，佔比例非常的高。

沖犯如果不馬上醫治，久而久之，會精神衰弱，見神見鬼，胡言亂語，幻視幻聽，精神失常了。在醫學上的名詞，是妄想症、幻想症、燥鬱症、精神分裂。

在靈學上是沖犯、佔舍。

例子二：

有一名女士，她有手臂酸痛的毛病，這毛病已有多年，當然，她尋遍了中西醫。

貼的、擦的、內服、打針、針灸……。

手臂酸痛始終難除。

最後她找上我。

我在禪定觀察中，看見手臂上纏著一個男士的魂魄，這手臂酸痛竟然是沖犯，使人大出意外。

我所看出的男士，又竟然是這位女士的男朋友。

這位男朋友是多年前落海死的。

女士在當時，傷心欲絕。

計算時間，女士手臂酸痛與男朋友落海死亡的時間，竟然是一樣的。

我幫這位女士的忙，手臂酸痛的沖犯，自然好了。

醫師治療多年治不好的老毛病。

我手到病除，真是不可思議！

例子三：

也有這樣的一名女士，她是一位容易沖犯的人，她只要遇到別人辦喪事，或是街頭街尾出殯，她只要一碰上，迴避來不及，一回家中，惡運就揮之不去。

馬上頭暈，吃不下飯，噁心、失眠、精神恍惚、發寒發熱，拿刀子切菜，也會切到手，走路也跌倒，身子也會碰傷，總之，什麼惡運都會降臨。

你可能會說，這位女士是心理病，我首先也是如此認為的。後來，她沖犯後到我處，身上果然發高燒，雙眼下陷，成了黑眼眶的熊貓。

最重要的是，女士的身後，真的跟了一大批的幽靈（陰人）。這時，我才確認是真的沖犯。

這位女士的沖犯，非常不好解除，因為解除了又沖犯了，又解除了，又沖犯了。

於是，我教她持「不動明王」金剛咒，家中供奉不動明王，修不動明王法，結不動明王手印。

她修法虔誠。

逢喪事及出殯，她結印持咒三遍，不動明王現身守護，從此之後，一點事也沒有了。

所以，我常常建議，八字低的人，陰氣重的人，容易沖犯的人，要持金剛咒，供奉金剛神，修金剛法，有守護的作用，這是非常重要的守護密法。

❀

據我所知，人所以會發生「沖犯」，仍然是「心意已動」的問題，這「心意已動」根源於慾望。

「心意已動」雖然是無形，但，「鬼神」早已知之，由於鬼神知之，所以會有沖犯矣！

我個人曾入酆都地獄，有一個很深的感悟，凡是上「二十八天」享福的，大半是清心寡欲的人，而凡是下酆都地獄的，卻大半是慾望厚重之人。

看見黑業如山高，濁業如海深，這些世人的孽障，這其間作惡的種類雖然很多，例如「殺人」、「綁票」、「搶劫」、「放火」、「偷盜」……等等。

但其中犯得最多的，卻是「邪淫」，邪淫一罪，世人易犯，不只易犯，而且一犯再犯。

按照因果輪迴來說：

姦人妻女，玷污了良家婦女，在酆都地獄中，要受苦五百劫，才能夠轉世，轉世時，變成動物，是騾子與馬、牛，要五百劫，才能復回人身，復回的人身也非高貴的人物，而是下賤的娼妓。

姦污了寡婦及尼姑或修行者，在酆都地獄中，要受苦八百劫，才能夠轉世，轉世變為羊為豬，完全是供人宰殺的，又要八百劫，才能回復人身，復回的人身也非上品的人物，是目盲的，或是啞巴，殘障不全的。

違背倫常的，像父親亂了女兒，母親亂了兒子，兄弟姐妹互亂，以長輩亂幼輩，以幼輩亂長輩，男的亂男的，女的亂女的，在地獄中，要受苦一千五百劫，才能夠脱生轉世，轉世成為蛇或是鼠。又一千五百劫，才能夠復回人身，這復回的人身，壽命並不長久，或在母胞之中就已死了，或在嬰孩時就夭折了，是不能長壽、享盡天年的。

還有製作淫書的，屬於壞人心術的淫書，其罪業更重，死入無間地獄，此地獄出離相當困難，要等到他的淫書全部沒有了，才可以出離無間地獄。

我曾說過淫書之害，實在是不可勝數的，因為一些名門閨秀，偶然一接觸，很容易受其引誘，魂搖魄蕩，難禁慾火之焚，倒成了蕩婦淫娃，因為淫書淫畫，使守節的婦女，喪失了名節，使守貞的女子，喪失了貞節。還有一些年輕的學子，一見淫書淫畫，淫望大增，便染上了手淫的惡習，這不只是男子，連女子也如此，年輕人手淫不知節制，以致身體受了影響，變成少年夭折，或是五癆七傷，此淫書害自己尚小，如果因為淫書淫畫，瀆亂自己心志，又害了他人倫常紀律，這淫禍就大了。我如此認為，淫書淫畫，是無窮之孽也。

我知道，業海茫茫，最難斷的就是色慾，「財、色、名、食、睡」這五慾都不好斷，但，最難的是「色慾」。在這娑婆世間，塵世擾擾，男女接觸頻繁，最容易犯的就是邪淫兩個字。

我看到，拔山蓋世的英雄，一逢色慾，就成了狗熊。一些很優秀的人才，一逢色慾，名節敗壞，聲譽下墮，從古至今，不管是聖賢也好，是愚人也好，全是一個樣。

今天的世界，和古代大不相同，今天的世間，慾風更盛，五花八門的色情業充斥，古代的道德早已淪亡。年輕人甚至中、老年人，個個思想輕狂，喜歡紅粉的場合，所謂「粉味」的，聲色犬馬已經習以為常，人人如此，不覺得怪。大家談話，全喜綺語，聽些色情，反而淫機倍旺，慾念愈熾。如此一來，總是心為形役，識被情牽。眾生可憐，一一淪為黑業苦海地獄的一份子。

要知道，淫慾報應甚烈啊！

一、妻女償債。

二、聲名下墮。

三、子孫受報。

四、富者變貧。

五、貴者削籍。

六、壽者夭折。

七、入獄受刑。

八、地獄、餓鬼、畜牲。

我們修行人，要看破「色即是空」，今天普勸眾生，要發覺悟之心，破色誘之障礙，所謂芙蓉白面，全是帶肉骷髏，美貌紅妝，全是皮肉血屎，腥臭無比。要宜防失足，宜防失足矣！

人人要共出迷惑，齊歸覺路。

【南天門守將】

南天門守將要請「井泉龍王」進入南天門列班。

突然空中叱聲：

「豈有淫人害人之人，入南天門之理。」

井泉龍王大駭，急辯：

「我沒有，我沒有。」

「還敢說沒有？」空中現出一天目。

「呵！天目如電，一絲一毫分明……

南天門守將

那是農曆正月初九日，正是玉皇大天尊的聖誕，我隨著諸神靈，赴靈霄寶殿賀聖壽。

萬神都會，是要經過南天門的。

這次南天門守將，不是四天王，也非四天君，更非四神將，而是托塔天王李靖，率金吒、木吒、哪吒。

一一核對名單，才能進入。

我對核對名單，根本無所謂。只是隊伍甚長，排的時間較久，消耗時光。

原則上：

十方法界天海寬。
放我手中一毫端。
從無進入說不盡。
何須排隊耗時光。

然而，諸神列隊，我也列隊，我不想羊群裏面出了駱駝，因此隨俗。

萬神都有請帖，而我獨無，我是自己來的，排啊排的，終於排到我了。

托塔天王李靖看見我不是神，是人，嚇了一跳：

「來者是誰？」

我答：

「現在當人。」

「請帖可有？」

「就是本性。」

托塔天王一聽本性，倒也識些天機，便也不怠慢，接著又問：

「本性又是誰？」

「靈光發現。」

「靈光在何處安身？」

我答：「皈依處。」

「又皈依在何處？」

「在無縫寶塔，誦真佛經。」

這時李靖與金吒、木吒、哪吒四位，一聽「真佛經」，才明白，恍然大悟：

「原來是蓮生活佛盧勝彥。」

四位南天門守將，向我合掌稽首為禮。

萬神均極為震撼。

剎那間，我化光身，住大虛空。

睡處大地茅舍。

霎時飛海騰空。

坐處常明清淨。

行處十方寬宏。

南天門守將知道，這是娑婆世界稀有的，不可思議的，玄機蘊妙的凡夫之人。

蓮生活佛盧勝彥，唯佛與佛知，眾生怎能明白？眾生如果明白蓮生活佛盧勝彥，還罵他是魔，是邪，是鬼，是神棍，是活寶，是色狼嗎？

蓮生活佛盧勝彥到底是誰？

告訴你：

西方一點靈光舍利。

南天門上空中霹靂。

❀

再說，萬神排啊排的，排到一名「井泉龍王」，這位龍王手上持有賀壽請帖。

南天門守將要請「井泉龍王」進入南天門列班。

突然空中叱聲：

「豈有淫人害人之人，入南天門之理。」

井泉龍王大駭，急辯：

「我沒有，我沒有。」

「還敢說沒有？」空中現出一天目。

「呵！天目如電，一絲一毫分明。」眾神驚嘆。

井泉龍王汗涔涔下，忽仆地不起。

托塔天王李靖的寶塔射出一道金光，把井泉龍王收入寶塔之中去了。

隔了一會，寶塔放出井泉龍王，已化為粉碎矣！

眾神議論：

原來「井泉龍王」的住地是某處靠海的龍王廟，其中供奉東海、西海、南海、北海四位龍王，而井泉龍王在偏殿，香火非常的旺盛。

龍王廟附近住著一位村姑，這村姑長得非常可人，頗有靈慧之氣，常常到龍王廟當義工。

有一回，村姑到「井泉龍王」前卜杯問姻緣。

蕩蕩情天。

甜甜蜜蜜。

智慧都迷。

村姑欲嫁。

到底姻緣在何方？

村姑那天，穿著非常新艷，臉上如同撲了紅粉，更顯出櫻桃小口，雖非絕世嬌姿，千嬌百媚，國色芳容，卻也是佳人玉女，乾乾淨淨。

村姑卜杯，卜來卜去，均未有正確答案。最後，心都亂了，看看嫁給誰好，抬頭一看「井泉龍王」雕像，這雕像五官分明，相貌俊秀。

村姑說：「如果像井泉龍王，那就好了！」

而「井泉龍王」法座上一聽，從上往下一看，剎那之間，魂已蕩而魄已消。

村姑的聲音笑貌，誰能不想，腦海中現出橫陳之戲，描出一幅祕戲之圖，袒裼裸裎，焉能不浼，這「井泉龍王」竟然因為村姑的一句話，動了凡心。

之後，當村姑入夢鄉。

龍王現身。

遂成好事。

龍王、村姑，夜夜春宵，如同夫婦一般。

龍王忘了神明守則：

一清心地，二守天條，三養精神，四護百姓，五勿穢行，六要勤勉。

「井泉龍王」犯了邪淫戒，夜深人靜，神明竟然去犯村姑，神竟然去犯人。原來上天冥冥中有安定人神的道理，這是本善的道理，人有人的胎元，神有神的胎元，今天亂了常道，神若失去神格，敗德喪行，犯天條，滅神光，削了自己的神籍，一樣要墮落地獄、畜生、餓鬼的。就算是九天之神，三台北斗，也要守天條，下至三尸灶神，也是如此。

井泉龍王難逃天目鑒察。

當然禍罰嚴重，粉身碎骨。

「井泉龍王」拋棄了世代相傳的神脈，這是最忤逆的一件事，永遠的神格削盡，同時龍王的家聲也受損，到陰間去充當餒鬼，能不恨極嗎？

色字頭上一把刀。

殺機已露。

生貪有限之樂。

死受無窮之苦。

後來。

我有機緣，到了靠海的龍王廟，此龍王廟果然富麗輝煌，四海龍王威赫凜凜。

到了偏殿，卻見供桌上空無一物，上面倒寫有幾個小字，是「井泉龍王殿」，但神像呢？

我找到住持。

住持說：

「此殿有奇事發生！」

「什麼奇事？」我裝成不知道。

「就是去年的正月初九日，神像自己突然倒下供桌，跌到地上，神像就這樣碎了。那天還沒開廟門，無人進廟，神像跌碎的非常離奇。」

「哦！」

住持說：

「我一看神像碎了，也就算了，收拾乾淨，準備到佛具店或雕神店再製作一尊供奉。」

「後來呢？」

「當天晚上，我夢見四海龍王來告訴我，井泉龍王犯了天條，已削去神格，不用再雕刻供奉。我發了這個夢，並非馬上相信，卜杯，也是這樣說，但，我仍然不信，去了雕刻店準備雕刻井泉龍王。說也奇怪的是，每當要雕刻井泉龍王，雕刻師就生病不起，病好了，要雕刻了，就又病了，弄得這位雕刻師父也不肯雕刻井泉龍王。」

「有這等事，真是奇，最後呢？」我更好奇了。

「後來，就是這個樣子，沒有後來了。」住持說。

正當我要離去的時候，住持突然跑來跟我說：

「我們這裡還有一件奇事，靠海有一小村，有一位村姑，突然之間，會幫人神算，有天眼，能看人三世因果，問她如何會的，她首先不說，後來才自稱井泉龍王教的，她的神算很準，你可以去看看。」

我照著這位住持的話，找到這位村姑，我一眼看見她，就知道她身上有井泉龍王的氣。

大凡神氣進入凡夫的體中，這凡夫體也會沾了一點點的神氣，只是村姑運用了這點神氣，替人看三世因果，替人神算而已，但憑著這點神氣，就已經很準了。

村姑看孕婦。

知道會生男會生女。

她說男，就是男。

她說女，就是女。

就憑這一點，就夠轟動的了。

我坐在村姑面前，她觀察我的三世因果——

她「咦」的一聲，自己搖頭，後來又點頭，最後又搖頭，尷尬的對我說：

「對不起，你的不算。」

「為什麼？」

「什麼也看不到。」

「怎會這樣？」

「我也不知為什麼？平時我看三世因果，會出現兩個圖案，前面的圖案代表前世，後面的圖案代表來世，一向都會清晰的浮現出來。至於看先生你，根本沒有圖案，沒有前世，也沒有來世。這……這……我就不懂了。」

「無前世，也無來世，這就是不生不死，也即是超生了死，這就是正道。」我說。

村姑反問我：「何謂正道？」

我答：

「明心見性，了脫生死，就是正道。反之，畫符唸咒，駕雲騰霧，飛空步虛，踏罡步斗，呼雷遣將，撒豆成兵，五遁變化，一切法術，皆非正也。另外，醫卜星相，算數推命，善知三世，吉凶禍福，也非正也。還有，搬運吐納，採藥煉丹，服乳嚥精，一切有作有為，有形之道，亦非正也。」

「你說這些非正，但有用嗎？」

我答：

「這些只算是旁支旁門，可以用來輔助正法，卻不能超生了死，我們學佛的人，要明白真如的道理，了解生死的大般若智慧，知道萬法唯心，萬法唯識，修行要達天人合一、佛我合一，身心合一，達一無二，這才是真正的真佛，不二法門。」

村姑問：

「有天眼，能看人三世因果，這境界如何？」

「性命難了，苦海難脫，閻君難免，地獄難躲。」

「我以為很高了！」村姑說。

「不高，不過是沾了神氣的邊而已！」我答。

村姑再說：

「你說你得正道，何不顯一顯身，讓我相信，我好拜你為師！」

我說：「好，你用天眼看一看！」

村姑用天眼一看，大駭，馬上跪地哀求懇切皈依。我告訴村姑，現在過去未來三心不可得也，人我眾生壽者四相均不可有也，才能免得六道輪迴，真正解脫。

村姑到底看見什麼景相？

原來她看見，蓮花的花蕊初開含珠露，上面端坐一位真如來，口中吐出金光講真經，下座聽經者，竟然就是「井泉龍王」也。

當然村姑要皈依我了。

【真正的大樂】

「氣」——大樂。（周身循環）
「脈」——光明。（清淨無比）
「明點」——佛性（堅固不動）
我終於從「人性」修成「佛性」
自自然然的得到，
「大樂」、「光明」及「空性」。

真正的大樂

我（蓮生活佛盧勝彥），學佛多年，在我自己的體會之中，佛教的五戒，唯有「色戒」容易犯，為什麼？因為慾的種子，是人類先天跟著來的，人有情慾與生俱來，因此不容易戒，要清心寡慾，剛開始談何容易！

我們曉得，人有情慾，主要在於「樂受」的感覺上，如果仔細體會這種情慾的「樂受」，正是：

「眼貪色、耳貪聲、鼻舌香聞、身貪觸、意貪淫。」

還有當慾貪最高潮的時候，明點洩出時，摩擦產生的剎那剎那之樂。

色慾所追求的，就是這些。

這種色慾的追尋，不只是少年青年才有，中年老人樂此不疲者亦有之。

為什麼會這樣？我認為，色慾是人生之樂的樂中之最。

色慾之樂，包含了眼、耳、鼻、舌、身、意，也就是綜合了六大意識的樂了。世人以為，要尋歡作樂，無他，男女之間的樂，正是人生之最。

然而，我們知道，淫貪一生，諸念跟著來：

一、邪緣未湊，已生幻妄之心。

二、追求之中，已生計算之心。

三、追求不到，已生瞋恨之心。

四、欲情顛倒，已生佔有之心。

五、羡人之有，已生妒毒之心。

六、奪人之愛，已生殺害之心。

邪淫的禍害，真的是無窮的，也是敗德取禍最快速的。也可以如此說，有了邪淫，廉恥必然喪盡，倫理也俱虧損，種種的惡業，從此而起，種種善業，化為烏有，所以古人有言，萬惡淫為首。

❀

我觀察人生的「慾望」，不外「財、色、名、食、睡」，其中「色心」易起，不論男女，天性蠢然易動莫如淫慾之心，一點點眉來眼去，此心就動了，不復自持了，毫無顧忌了，人性本善，一時全喪盡了。

狂。

要斷除此病，難矣！

我學習佛法之後，自知，人類慾心，何所不至，如口腹嗜味，愈縱愈狂。

我也知道，如果淫念一生，所有惡念跟著生，修行就變行穢行，修道成了褻道，傷風敗俗，所不忍言。

於是，在這當中就有了：

「天人交戰」。

❀

後來，我學習密教，發覺密教的修練有真正的斷慾之法，一般顯教斷淫心慾念，是用：

一、「不淨觀。」

二、「白骨觀。」

三、「般若智慧。」

而密教修「氣、脈、明點」，是：

「氣通諸脈、脈生火光、明點無漏。」

在修練的過程之中，由於氣通脈，自然產生了一種「樂受」，又明點通脈時，更產生了「大樂受」，這種「樂受」更勝過一般男女的樂受。

得到真正的「大樂受」之後，那種男女之間的小樂，就微不足道了，由此，可對治淫慾。

我領悟：

「氣」——大樂。（周身循環）

「脈」——光明。（清淨無比）

「明點」——佛性（堅固不動）

我終於從「人性」修成「佛性」，自自然然的得到「大樂」、「光明」及「空性」。

我覺得人類何等可憐！何等傻！

人從慾念生，又從慾念死。

追逐剎那剎那的小小快樂，一下子就過去了，還犯了諸惡業，實在不值得啊！

我實實在在的告訴大家，我確實得到證驗，得到真正的大樂。

附錄

【揭開大輪迴讀者回函】

因緣際會，閱讀聖尊蓮生活佛文集，
修持眞佛密法，佛法難聞，明師難得，
今生今世能皈依眞佛宗，
是我畢生最大的榮耀與福份和智慧，
如今佛法已聞明師已得，夫復何求……

陳沛村　修佛法是每一個人都必走之路，尤其是真佛密法。只是緣份來早與晚，吾人自1983年皈依活佛以來，歷17個年頭，但至今未捨去修法。願更加精進，早日証悟，以離六道成果位，度眾生。—自勉之。

盧靜瑤　蓮生活佛是當代佛學大師，他能將生活中之故事喻以佛理，做為人們的借鏡，卻又不失幽默，讓大家對修行能有更深入之認識。

陳國材　信心增長，信念堅固，實修真佛密法。

謝馥光　很好看。

張喜盛　本書篇篇精彩，可看性甚高，但不能採用預約方式購書是一憾事！

黃志榮　敬套師尊一席話：~信者自信，不信者不信，信不信由你~吾真信也，並於書感中，為世燈塔滿。

陳御蘋　這真是一本難得的好書，讀後感想與體悟只有四字形容「法喜充滿」。

蔡淑惠　師尊的書，內容很精彩，讓人一便欲罷不能。

高月桂　好奇、有興趣了解。

簡陽明 請繼續出版，請將十方法界眾生的生活狀態，描寫出來及如何進入十法界？

沈江山 希望師尊能持續寫靈異渡化人心的書及每本出版書都能持續贈送師尊加持卡。剛出版新書很精彩，而且故事情節很不可思議平凡人很難知道，無形世界藉師佛手筆寫出來很好。

建議：希望師佛的書，字體能放大一點更好。

羅好瑛 看了本書之後，得知有前世因果與今世是有關聯的讓我獲益良多。

王庭麟 文集不曾看過，第一回看他的書本人亦為佛弟子，但對於書中有關拙火氣脈等說有些陌生不曾修密，不懂手印，但亦不覺是其外道或是魔，其度眾所用之神通符咒皆因隨緣度化之方便，不能稱之為邪，我敬他是佛。

劉鎮洲 不可思議，不敢相信又不得不信。

我佛慈悲，阿彌陀佛！嗡嘛呢唄咪吽！

鄒燿齡 文集中的故事有很多以前在師尊大作中已拜讀過，但對個啓示還是相當有力，其中如愛染明王手印最好印出來！

吳新娣 閱讀本書獲得了1．大智慧2．無上的大法寶3．密教大法等等…大師的大法力真大，有福份者得之。本書中有師尊的符籙書簽，弟子在夢中得之，只因弟子心中歡喜晚就有大感應了，真是心想事成。

趙淑娃 輪迴令人恐懼，但也令人無奈。感謝師尊一再強調修持第一，努力修持。

吳美回 很好奇，是否也能解我心中之謎。

王敏仕 能出精裝本更好。

陳少凡 內容玄奇，太不可思議，有警世惕眾的效果，好好皈依，學法，修行定沒錯。

郭清志 本書用簡單文句闡述深奧的佛法，修行，一切…。使我更深層了解輪迴的奧妙，恐怖和可愛。

黃文郁 蓮生師尊之文集，字字精闢且獨道，實可説是助其弟子修行之路最佳指引明燈，師尊數百萬弟子中之一的蓮花文郁，弟子我何其有幸地能得到師尊加持，弟子今生無憾矣。

郭世炘 更讓人想接近及探究生命之真理，及皈依其門下。

張健興 對人的現世行為有警惕之作用，但我覺得神力似乎超過我能接受的範圍。

林連興 人們多數為自己的困難遭遇而氣憤不平，借以此書能多深入因果的另一章。

董清水 請多寫些靈異及輪迴的事跡，但不是好玩的，是再教育，藉著啓發認識因果，奉善行，知報，也知有地獄，而修行。

曾一鈞 希望能再抽赴美國西雅圖「彩虹山莊」機票，以便能赴「彩虹山莊」一遊，並能在此修行。

趙立仁 書中之咒語沒有附上注音，不知道要如何念。很想求道修行，能夠親身實際去體驗。

黃敦璋 一、師尊的文章內容很精采，而且很具有啓發性，是一本可以助弟子們深知因果，增長智慧的書。二、唯書出得太慢，印的數量又似乎不夠。

張宜萍 建議：師尊大輪迴篇篇精彩絕倫，12篇弟子覺得收集太少了，最好是20篇集合一本，才過癮！感想：人身難得，遇到明師，趕快修行才是！

孫殿銘 1．既然已有網址，何不在其上作答？為何還要E-MAIL？2．此回函可否改為對摺方式，以維護個人資料。3．故事都看得懂，但各項法術就不甚了解，如何入門？

呂宜屏 太難買到了，不知道為什麼，一下子就被人搶購光了，希望後面能有一些多一點的書集介紹。

胡慧民 封面可再做突破。

楊慧宜 總覺得世界上的事很奧妙，冥冥之中，都有因果存在，唸佛真的很好。

徐春信 既是『文集』可否將前書缺者出齊？

眾生輪迴不可思議，師佛用心良苦，願我等共勉。

葉重宏 希望師尊繼續出書，以書傳密法利益眾人生指正眾生為盼是幸！

劉堂發 封面設計建議：請改精裝，書否應設專櫃陳列？

李文棋 可否再出精裝版(以後的文集)？

郭居玄 不知師尊有無新的佛法書出刊。

釋蓮國 1．可否發行精裝本，以利收藏。
2．可否加印全省各分堂之資料，如堂號、地址、電話⋯等。

陳國材 很好，提醒自己，多實修密法。

陳詮貴 非常好，令人愛不釋手！

張加樺 非常好看，請多出版。

陳玫秀 非常好看，請多出版。

邱良智 多寫一些故事。

陳順泰 本書不錯，內容滿有意思。

李豔芳 非常之好。

林文欽 太好了、我在等下一本文集。

謝晃光 很好，我很喜歡。

張秀涼 很好看，不錯。

李春寶 很好。

歐麗雲 建議出版全套135集可贈送親友以特惠價大量供應，請書局在每集出版前公告出書日期及事前訂購優惠。本書精彩發人省思。

陳宜均 人外有人，天外有天。

張玉秀 精彩至極，希望不相信師尊者，皆有緣閱讀此書而皈依真佛，是否書封面或夾紙可強調適合全家閱讀與討論，讓家裏的遊離份子發揮好辯又不信的短暫能量。

簡陽明 1．可寫出下一回要出書的月份，供讀者預約。
2．凡事知足常樂，不做非份之想。

張維欽 內容精彩，引人入勝，平凡的文字中，讓人體會到佛之不可思議，因果不昧。

羅昭成 獲益良多。

許瀝愛 內容不錯，醒世名言。

陳沛村 書後附「愛染明王不共大法」若能將蓮燈上師傳法全文一併附上，豈不使讀者如同參加法會一般。更能了解「愛染明王不共大法」當日法會全意呢？

黃泰良 敬師、實修、重法是唯一成就的捷徑。

簡明瑤 1．請多寫師尊的思想和靈的故事。
2．宇宙之間有太多的事、物是人想不出來的，需靠修行才能逐漸領悟宇宙之間的奧妙。

羅昭全 感觸甚深，並且獲益良多。

蕭百富 覺得盧上師對於佛教團體有著深刻的研究和體悟，書中以生動的筆觸探討佛法、輪迴、宗教，富有警世勸善的功能。

何新生 人生無常，有因必有果，速速修行。一日一修。

蘇啓田 雖沒有這些的經歷但周遭的朋友有遇到，所以真佛密法真是太好了，感謝上師和所有諸佛菩薩的加持與佛法。嗡嘛呢唄咪吽。

陳淑惠 受益良多。

莊淑華 師尊應多出版類似的書，現今之人對輪迴感興趣，能以親身經驗告之世人輪迴的事實，師尊功德浩大。林于洲　文字淺顯易懂，而每篇故事皆發人省思。

程士華 揭開大輪迴很棒，多看這方面的書，可以救度世俗凡夫，改善社會風氣，真希望大家多看看輪迴因果之書。

陳美虹 建議：希望多多寫好書。感想：太不可思議了，看了此書可知道其中之道理，勸人向善、不可貪心，冥冥之中自有定數。

林世煌 無。

蘇敏君 閱讀完此書深感世間有太多太多的不可思議，所以讓我更加了解真佛密法的好處。

洪斌原 人生若短，一切皆空，早日實修，一心向佛，心存善念，救己救人，不虛此行！

陳崇元 一切如幻似真，盡在真悟中。

洪光華 （後語）敬師、重法、實修、皈依真佛密法，灌加持傳承，日日精進，明心見性，自主生死，即身成佛。嗡古魯，蓮生悉地吽。

李淑娟 每次閱讀師尊的作品時，無形之中都能夠或多或少的得到一些啓發與開示，而且思緒也能夠變得清明無礙。再加上作品文筆流暢、洗練，因此讀來倍感生動有致不覺枯燥乏味、實不輸一般職業作家！

吳柔娜 希望師尊身體健康，世上實在太需要一位明師。也渴求本身心中的疑念、惡念消除、道心堅固。

高　瑄 聖尊所著每一本文集都值得珍藏，希望聖尊能再著有關台灣地理的文集，我非常熱愛這片土地。

黃月琴　第一回讀「揭開大輪迴」這本書，感到目眩神馳。由于情節所牽，很快就看完整本書。讀過後覺得心有所動。

第二次再細閱，才曉得此書之法味有如幾千斤重的橄欖一般，值得一再玩味。這時才覺察師尊的苦心－師尊把許多聳人聽聞的經歷以簡潔的手法道出，間中漫漫顯示因果輪迴的道理、輕啓道家法術的神奇，同時也介紹了密教的更深一層次。其實師尊是在循循善誘，欲引導眾生走向修行之路、達到智慧的彼岸！世人皆汲汲營生，若不以此明快如小說的寫法動之，難渡！

李宏德　拜讀「蓮生活佛盧勝彥」之著作「揭開大輪迴」系列，使我瞭解到靈界之神奇，不可思議。

他不同於一般的靈異故事，以蓮生活佛救渡眾生的親身經歷為主，述說著一則又一則難以想像的傳奇事蹟。另一方面，他又以如此吸引人的題材來說明因果輪迴；確確實實的證明，而非空談理論。如此之作品，獨一無二。當然，蓮生活佛寫出如此的故事，並非嘩眾取寵，而是要大家明瞭因果實有，輪迴實有；只要大家好好認真學佛實修，人人都可以成就。能讀到這此書，實在收獲多多也！

蓮花春信

對於無形，沒有親身目睹，但過程倒有幾次經驗，因此對師尊書中所述、深信不疑，只是經過九二一地震，不知日月潭水府，可曾安然？酒國名花一文，令吾感受良多，本人於去年底，才因「醉」而差點至彼鄉，想來不寒自慄，事出有因，識此文有如當頭棒喝，令人深省，感謝師佛慈悲訓示。

個人認為本書篇篇文章，猶如醒世文，喚醒世人，勿迷勿誤，及早回頭。細思一切唯心所造，願以師尊所寫偈：「世事本無愁，一切皆空求。」共勉之。

岳靈犀

「牆中人」陳青，生前執迷情慾，竟於遭情殺之後的死亡歷程，得到瞬間閃過的開悟經驗，明白自己的本然無念境界，因此能安於困境，不思酬害。她又獲得蓮生活親傳，修習菩薩行法，「在行、住、坐、臥時時都能覺照之下，不忘失自己本來面目」。

我在想：「本然」，故非因修得；「無念」，故不能覺察。因此，能覺察本來面目者，必是能夠覺照的心。開悟之後，時時去覺照本來面目，即是悟後起修的不退轉位菩薩。

黃志榮 一股浩然的慈暉與義氣，頓然打通筋脈，佈滿全身。試問當今有何書籍？能讓讀者如此龐然震憾呢？試問當今又有何人？能那麼真實刻劃出虛空界的幻變呢？

拜讀活佛鉅著，只有一個字，讚啊！字裏行間娓娓道出一位活佛，對平凡眾生的佛性慈懷和助人的浩然義氣，直叫人頭皮發麻，心欲迸出，每一粒細胞都佛化了。

此時心中不禁油然而生一股希望，願全世界每個角落的世間人，都能看到如此真實神化的向善鉅著。更祈願有根器者，能弘揚真佛密法，救世救難，無根器者，能自求多福，保平安！

沈嘉桐 此篇文章多次提及之彩虹，指當一個人修持有大成就，為一金剛體故身泛光輝（如彩虹般之顏色），且是由內在所放射出耀眼之光芒這彩虹之中會有神眾，會引導亡魂，直入天梯。

還有人在受加持時（如灌頂、傳密法時）會氣入中脈、全身彩虹罩身、光明慧照不散，可照現多種神通、昇上佛國指日可待。

盧法師之揭開大輪迴系列之書，我幾乎都有，每篇文章皆發人深省。

吳坤成 世上普遍的人對於靈魂、神鬼一事，仍抱著半信半疑的態度，甚至根本不相信。

為什麼？因為他們認為自己並無親身體驗。也因此，許多人自欺欺人的以為死後一切皆化為無，那有因果輪迴一事？是的，所謂「不見棺材不掉淚」，時間會做解釋的。

假如每個人都相信師尊的話，相信因果輪迴，那麼大家一定會努力種好因，並期待著好果，不是嗎？畢竟行善總比行惡夜晚更容易入眠，不是嗎？請捫心自問。

楊雯琪 在讀完這本系列的書後，深深覺得因果報應的可怕，所謂『菩薩怕因，眾生畏果』，也只有了解一切實相的覺悟者如履薄冰的行八正道，而那些無知的凡夫俗子只一味尋求酒色財氣的享受，不知離萬惡深淵愈來愈近了！

幸好，師尊為了度眾，不時在書中洩漏天機及一些因果輪迴，使我們迷途知返，了解人生如幻似夢，知道人外有人，天外有天，擴展我們的領域，更教導我們如何了脫生死的修行方法，所以祈望師佛能常住世間，常轉法輪，最後以書中一偈做為結束：『一切眾生，佛心所現，一時演化，一時成佛』

程清爐　接觸「文集」是自第八冊財源滾滾術開始，新企業世界出版，歷經學海書局、青山出版社、大日出版社，以迄目前的推廣小組所出，印刷精美，手不釋卷。閱讀過後，盡速傳閱親朋友戚，雅文共賞，廣為傳閱，均得好評與迴響，因而皈依真佛宗者有之。

「文集」中，談到佛法，修行方式，口訣心要，字字均是法寶，扣人心弦，如沐春風，引人入勝。文中的一偈，隨興所至金石為開。談到神、人與靈之間的溝通，更是前所未聞，無論中外均存在的真實故事，可增廣見聞，信不信由你。

劉堂發　文集內所寫一切，仍然就是蓮生活佛堅持的一句老話：信者自信、不信者不信、信不信由你。

善哉！善哉！真佛之住世，是一大因緣，是熠熠生輝，光燦無比。蓮生活佛太不可思議，唯有佛與佛知，數拾年如一日，寫書、修法、問事、弘法、廣度天人眾、冥陽兩利，文集內容包含宇宙、天文、地理、佛法、生死、即佛法之入世與出世，可說超越一切，在這亂世之中，吹大法螺，擊大法鼓，普度有情眾生，眾等應去惡從善、行菩薩道、速速皈依真佛三寶、取得傳承、修持真佛密法、續佛慧命、傳佛法燈。

當今世上得五眼六通，開悟者為蓮生活佛耶。

吳柔娜 看到「賭鬼廟」這篇，覺得師尊真是慈悲，不僅期盼救度天下蒼生，連幽冥界的陰靈也毫無分別心的予以救度，奈何累世的習性是如此難以根除，一碰到誘惑，或境遇稍一平順，就忘記當時的發心，此點居然是人鬼皆相同，也無怪乎地藏王菩薩的大願一直無法有度盡眾生的一天，令我想起地藏菩薩本願經內所提的「如魚游網，將是長流，脫入暫出，又復遭網……。」

我在想如果一個人在順境時就知道修行的重要，那會更難得，心中會更知足平和，當碰到逆境時，與佛菩薩的感應也會較快，且熬不過時，能把空困境當成因果，不致崩潰，願我以此砥礪自己——道心堅固，福慧增長，精進實修，永不懈怠！

蓮花鴻隆 閱讀每一本 師佛的書都是在千盼萬盼、日日祈待的心情中購買到。尤其在看了真佛報刊載的片斷文章，心中的渴望就更強烈。

每一篇的內容都是那麼的扣人心弦、以及不可思議。在這虛空中所演化的種種，總是那麼讓人難以想像，好像虛幻的小說，可以增添生活的情趣，可以增進對靈界的認識。雖然看不見，卻需時時刻刻的警惕，更能從中領悟一些佛法，細細品味自有一番意境產生。

師佛的著書包羅萬象，都是親身經歷寫出來的，看得弟子身入其境，非一口氣看完不可。意猶未盡再看一遍。更祈待師佛的新書。

藍明胤　宇宙有四季輪迴，人生有四苦：生老病死，諸行無常啊！

20多年前因緣際會，閱讀聖尊蓮生活佛，修持真佛密法，佛法難聞，明師難得，今生今世能皈依真佛宗，是我畢生最大的榮耀與福份和智慧，如今佛法已聞明師已得，夫復何求。

聖尊　蓮生活佛是阿彌陀佛住世，是當代密教最高的成就者，宇宙無上意識化身，獲證虹光成就，親見西方極樂世界，親證摩訶雙蓮池佛國淨土，誓願生生世世、粉身碎骨渡眾生，彌足珍貴。

真佛密法有最殊勝的真言咒語、手印、觀想、完整的修持儀軌，更有真正得證的傳承金剛上師，慈航普渡的蓮生活佛為依皈，真佛宗是一個敬師、重法、實修的宗派，是道顯密圓融的大宗派，殊勝圓滿，願十方善信大德來皈依聖尊蓮生活佛，修持真佛密法，人人成就真佛淨土。

嗡嘛呢唄咪吽。

石良德 每當休假日時，自己便會騎著摩托車到這小鎮的書局仔仔細細閱讀起各式的書，而目前最讓我感興趣而愛不釋手的，卻是蓮生活佛的諸類文集。

好奇的是為何有這麼多的感應與故事，在人與非人之間穿梭流傳著，但卻不同於一般的怪力亂神，仔細思索一番，這終究是有佛法在其中啊！使我在研習多年的佛法後，能夠當下有一番體悟，不再像鸚鵡學人，不識其真理。所謂同體大悲，也是需要智慧的，蓮生活佛就因對眾生慈悲而運用智慧解脫眾，這些都在活佛的文集中驗證了，並且行住臥間都能合一，貫徹著佛菩薩精神，祇希望將來有機會能接近活佛，接受一番醍醐灌頂，必能對自己產生許多裨益。

吳忠勇 在因緣巧合之下，拜讀了師尊近期的大作，記得在八年前聽同學提過師尊的名字，當時自己只是個高中生並不知盧勝彥何許人也。沒想到八年後竟爾成為師尊的新皈依弟子！師尊的文集中，每一個小故事都令人驚奇，讚嘆！這當中流露出的慈悲、喜捨，不忍眾生受苦之心，或寓意深遠諄諄教誨的警句，莫不令人心有戚戚焉，這也是為何自己一拜讀師尊大作之後，便決定皈依的原因，明師難期啊！

方能謹　在師尊著作第138集「超現象的飄浮」一書內，我的印象最深刻的一篇是「瘟神」。若要問事，就得聽從指示。書中的邱循因未能遵照師尊的指示修法四十九壇，卻聽信朋友們胡言亂語，修了七壇即想結束。最糟的是還用卜杯方式來請示諸天。豈知來扶杯的不是正神而是瘟神，結果鑄成大錯。我們遇到災難去請教師尊，其實師尊已為我們解決了最重大的難題，剩餘部份要我們自己去作也該算合理吧！自己化解自己惹出來的糾紛不應該嗎？

蓮生活佛 盧勝彥 近期新書

No.133

No.134

No.135

No.136

No.137

No.138

No.139

No.140

No.141

No.142

No.143

No.144

讀.者.資.料.服.務

謝謝您購買這本書。

為加強對讀者的服務，請您詳細填寫本卡各欄，寄回給我們，並附回郵信封，您即可收到黃金貼紙一片及大燈文化不定期出版訊息，並且我們會將您的意見匯整起來，提供您更優質的產品哦！

您購買的書名：＿＿＿＿＿＿＿＿＿＿＿＿＿＿＿＿＿

購買書店：＿＿＿＿＿市/縣＿＿＿＿＿＿書店

您的性別：　男　女　婚姻：　已婚　單身

生　　日：＿年＿月＿日

您的職業：□製造業　□銷售業　□金融業　□資訊業　□學生　□大衆傳播

□自由業　□服務業　□軍警　□公　□教　□其他

職　　位：□負責人　□高階主管　□中級主管　□一般職員　□專業人員　□其他

教育程度：□高中以下（含高中）　□大專　□研究所　□其他＿＿＿＿

您通常以何種方式購書？

□逛書店　□劃撥郵購　□電話訂購　□傳真訂購

□團體訂購　□銷售人員推薦　□其他＿＿＿＿

您從何得知本書消息？

□逛書店　□報紙廣告　□親友介紹　□廣告信函

□廣播節目　□書評　□其他＿＿＿＿

您的姓名：＿＿＿＿＿＿＿＿＿＿＿＿＿＿＿＿＿＿

您的通訊地址：＿＿＿＿＿＿＿＿＿＿＿＿＿＿＿＿

您的聯絡電話：＿＿＿＿＿＿＿＿＿＿＿＿＿＿＿＿

您的e-mail信箱：＿＿＿＿＿＿＿＿＿＿＿＿＿＿＿

您覺得本書封面及內文美工設計：

□很好　□好　□差　□很差

您對本書的意見，或對我們的批評、建議、期望：

揭開大輪迴 系列文集迴響徵文比賽

一、**活動主題**：凡與蓮生活佛盧勝彥所著之「揭開大輪迴」系列書有關之主題均可，題目可自定。

二、**參加辦法**：請提供600個字左右的作品，直接郵寄或傳真到大燈文化事業股份有限公司或以e-mail方式傳到大燈文化的電子郵件信箱均可。

大燈文化e-mail:dadenculture@hotmail.com

三、**活動時間**：即日起至2001年6月30日止。

四、**獎品內容**：我們將於2001年7月31日前評選，並寄出下列獎項。

1.優勝作品三名，每人獲蓮生活佛黃金紀念畫一幅。

2.佳作十二名，每人獲揭開大輪迴系列有聲書CD（十片）。

3.參加就有獎：時輪金剛咒幔黃金貼紙一張。（請附回郵信封）

備註：凡參加之作品其版權屬於大燈文化公司，我們將作品收集之後，亦將送一份供本系列書作者蓮生活佛參閱加持；謝謝！

要皈依蓮生聖尊，取得「真佛宗」的傳承，其方式有二：

一、親來皈依—也就是先連絡好時間，由世界各地，飛到美國西雅圖雷門市的「眞佛密苑」，由蓮生聖尊親自灌頂皈依，皈依灌頂之後，蓮生聖尊會頒發皈依證書，根本上師法相及修持法本，如此便是取得「傳承」。

二、寫信皈依—由於全世界各角落弟子遍佈，新人欲親來皈依蓮生聖尊不容易。

因此，欲皈依的弟子，祇要在農曆初一或十五日的清晨七時，面對太陽昇起的方向，唸四皈依咒：「南摩古魯貝。南摩不達耶。南摩達摩耶。南摩僧伽耶。蓮生聖尊指引。皈依眞佛。」三遍。

唸三遍拜三拜。（初一或十五日，一次即可）

在蓮生聖尊這兒，每逢初一或十五日，便在「眞佛密苑」舉行「隔空遙灌」的儀式，給無法親到的弟子遙灌頂。

在自己家中做完儀式的弟子，祇須寫信，列上自己的眞實「姓名」、「地址」、「年齡」，隨意附上少許的供佛費，信中及信封正面註明是「求皈依灌頂」。然後寄到美國的「眞佛密苑」。蓮生聖尊收到信後，會給大家寄上「皈依證書」及上師法相，同時指定從何法修起。這也即是取得「蓮生聖尊」的傳承。

Master Sheng-yen Lu

「眞佛密苑」的地址：17102 NE 40th Ct.,

Redmond,WA.98052 U.S.A.

盧勝彥文集神變 009

當下的清涼心—大樂光明的心靈境界

作者：盧勝彥
出版者：大燈文化事業股份有限公司
地址：桃園縣蘆竹鄉南福街60巷25號2樓
電話：886-3-3526847
傳真：886-3-3521165
網址：http://www.tbsn.org
電子郵件信箱：dadenculture@hotmail.com
郵政劃撥：19475615
戶名：大燈文化事業股份有限公司
總經銷：農學股份有限公司
書店訂書專線：(02)29178042・29178022
法律顧問：黃清華律師・方鴻枝律師・陳幸娥律師
周慧芳律師・蘇衍維律師・吳東一律師
視覺美術設計：博旭視覺
印刷：寶得利紙品業有限公司
初版一刷：2001年4月(2002年10月再版)
定價：新台幣220元(平裝) 美金USD$10元

國家圖書館出版品預行編目資料

當下的清涼心：大樂光明的心靈境界／盧勝彥作.
— 初版 . —桃園縣蘆竹鄉：大燈文化，
2001 [民90]
面； 公分 . — (盧勝彥文集：145冊,
神變：9) (揭開大輪迴系列)

ISBN 957-30812-9-6 (平裝)

224.515 90002187

*各位讀者若對本書有意見或建議時，請聯結上網路特設討論區
http://public.tbsn.org

蓮生活佛講
地藏菩薩本願功德經有聲書CD請購辦法：

「地」能夠蘊育萬物，「地」本身有不動性，忍辱性與精進百折不撓的個性。

「藏」，是寶藏；佛法即是最大的寶藏。

「地藏」即是以大地的精神，寶藏了所有的法寶，以覺悟來度化一切有情。

供奉地藏王菩薩、塑金身、助印地藏經及唸誦此經均有不可思議的功德。

讓蓮生活佛為您娓娓道來『地藏菩薩本願功德經』，令您修持更加精進如意，並以開悟者的莊嚴境界帶來心靈的充實與祥和。

全套54片，CD體積小又方便長期保存，非常值得珍藏！

推廣價： 新台幣**$2,980**（USD**$120**）

「揭開大輪迴系列有聲書CD」一套十片

本系列有聲書內容來自蓮生活佛盧勝彥之「揭開大輪迴系列文集」，詳細內容包括有：天生有孕符、黑山大王、古鏡、大塊黑斑的女人、賭鬼廟、尋找失蹤兒…，篇篇精彩絕倫，令您想一聽再聽，一窺神奇的屬於靈界的傳奇。

作者為當代實修密教的大成就者，全球皈依弟子達四百萬眾；有眾多西藏活佛皈依門下，可謂是“活佛之師”！其創作高達一百四十餘冊，可說是天地之間稀有難得的創作；唯大福報者有緣聽之、讀之。

他依自己親身的經歷，以第一人稱的筆法，將真如的判白、輪迴的風貌與因緣果報的絲毫不爽，一一呈現在讀者的眼前；本產品由影視紅星郜智源、徐雅琪賢伉儷導演，以廣播劇的方式呈現，並有音效大師混音製做特殊音效。保證讓您拍案叫絕，深受震撼與感動！

推廣價： 新台幣**$1，500**（USD**$60**）

前二百套特惠： 新台幣**$980**（USD**$40**）

蓮生活佛黃金紀念畫、紀念符

宇宙之間蘊藏乾坤，但誰有神來之筆，捕捉天地間的神韻，能將不可思議的光明能量，攝入畫中，為您帶來滿室光輝與家宅平安、生意興旺。如雷灌耳的當代密教大成就者，蓮生活佛盧勝彥以一氣呵成之勢，日日寫書、日日作畫，眾多西藏的活佛皈依他的門下；您絕對無法相信自己有這般的幸運，有機會接受當代實修密教的大成就者所賜予的來自宇宙光明法流的加持！

黃金畫

編號88001~88007

畫中蘊藏乾坤，落款詩句嘆未曾有；幅幅作品意境高超，神韻無窮；不但忘世脫俗，亦是個人特殊風格與品味的象徵。

適合神明廳、密壇、客廳財庫位或辦公室、生意場合，讓您宅第生輝，光明吉祥。

您一定要珍藏！

編號88008日日見財符，88009健康符、88010旺氣入門符

每一幅黃金畫或黃金符均以蓮生活佛真蹟複製,再祈請活佛加持而成，因此具有源自宇宙的空性加持力，有福者得之。

適合懸掛於財庫位，或是室內藏風聚氣清淨之處，讓您日日見財天天旺，生意興隆，大吉利。健康符及旺氣入門符讓您闔家平安健康，福緣廣結；惡緣化解。

註明： 每幅新台幣**$10,000** (USD**$350**)

外框均採以高級古典花稜畫框，大小為41×49cm。

一般市售的黃金畫價格昂貴，亦無此加持力量。

所有收入扣除成本後轉為蓮生活佛文集推廣費用。

臺灣以外之國家或地區銀行匯款方式:

1. 請結匯成美金USD
2. BANK NAME: UNION BANK OF TAIWAN
   INTERNATIONAL BANKING DEPARTMENT
3. ADDRESS: 109 MIN-SHENG E. ROAD SEC.3
   P.O.BOX 112-828
   TAIPEI, TAIWAN, R.O.C.
4. SWIFT NO.: UBOTTWTP
5. ACCOUNT WITH BANK: UNION BANK OF TAIWAN
6. OUR ACCOUNT NO.: 01677002476
7. COMPANY NAME: DADEN CULTURE CO., LTD.

大燈文化事業股份有限公司
E-mail:dadenculture@hotmail.com
FAX:886-3-3521165
TEL:886-3-3526847